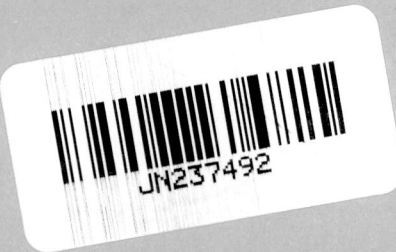

萌える！ヴァルキリー事典

萌える！ヴァルキリー事典

ヴァルキリー
Valkyrjur

アース神族
Ásynjur

ヴァン神族
Vanadís

contents

巨人族
Gôgjar

その他の女神、巫女
Dís & Völva

もっとくわしく！北欧神話

column

権利を守ろ
スクルド様〜！
ラグナロク反対!!
春闘
ヴァルキリーの雇用改善を求める〜!!
我々ヴァルキリーは！
うおおおお!!
死体漁りはイヤだー!!
イヤだー!!
女神宣言!!
英雄のお茶くみは飽きたー！
コレヌルくね？
イラッ
あきたー!!
ヴァルキリーだって女神だ!!
わたしたちヴァルキリーも
女神であることを知れー！
知れー!!
わあああああ!!!

むう…
これは いかんのう……
お前たち ちょっと止めて きてくれんか
はっ! トール
はっ! フレイ
はっ! ロキ
オーディン
ヴァルキリーの 賃金をあげろー!
あげろー!!
やめんか スクルドーっ
はっ
お、おじさま たち!?
みんな 逃げなさーいっ!
ヤー
待てーい!
to NEXT page!

はじめに

北欧神話を知っていますか？

北欧神話とは、ヨーロッパ北部の「北欧」地域に古くから伝わる神話です。
最高神オーディンを筆頭とする神々が覇を競い、魔剣を振るう人間の勇者が宿命に敗れて命を落とす。北欧神話の根幹に流れるのは、定められた運命は決してくつがえせないという強烈な「宿命論」と、世界の滅び「ラグナロク」が明示され、神々の壮絶な死に様が明かされるという「滅びの美学」です。
これが日本人の精神性と響き合うのでしょう。北欧神話の神々や物語は、1万キロの遠方に暮らす日本人にとっても人気のある神話となっています。
なかでも高い人気を集めているのが「ヴァルキリー」です。日本語で戦乙女とも呼ばれる彼女たちは、鎧兜を身にまとって戦場にあらわれ、勇者たちの運命を刈り取っていきます。その凛々しさと美しさに魅せられた人々は世界中に存在し、今もヴァルキリーを題材にした作品が続々と生まれているのです。

本書は、この美しきヴァルキリーたちや、彼女たちの活躍の舞台である北欧神話のことを知りたい人の為に作られました。
前半のカラーページでは、北欧神話やヴァルキリーについての基礎知識を紹介したのち、ヴァルキリー、女神、女巨人など、神話に登場する女性たちをイラスト付きで紹介します。イラストはすべて、神話の記述を参考にしつつ、担当イラストレーターの手で再構成されました。凛々しくも美しい彼女たちに、北欧神話の新たな魅力を見つけられることと思います。
巻末のモノクロパートでは、北欧神話の舞台となる世界、神話の内容や主要な男神について、ビジュアル満載でくわしく紹介。この一冊を読めば、北欧神話を題材にした作品を楽しむために必要な知識がすべて身につきます。

「萌える！ヴァルキリー事典」を片手に、ぜひ皆さんも、奥深く魅力的な北欧神話の世界に第一歩を踏み出してください。

凡例と注意点

凡例

本文内で特殊なカッコが使われている場合、以下のような意味を持ちます。

・『　』……原典となっている資料の名前
・《　》……原典を解説している資料の名前

固有名詞の表記について

本書で使用される固有名詞は、北欧神話の原典『古エッダ』と『新エッダ』の日本語訳として名高い、北欧文学を専攻する谷口幸男博士訳《エッダ－古代北欧歌謡集》（新潮社）で使用された表記を採用しています。ただしすでに日本で広く知られた表記がある場合は、あえて有名なほうの表記を使用することもあります。
本書の主役である「valkyrja」については、北欧原語の「ヴァルキュリヤ」、ドイツ読みの「ワルキューレ」ではなく、日本人にもっともなじみ深いと思われる英語読み「ヴァルキリー」を使用します。

ヴァルキリーたちのわるだくみ?

おお、帰ってきたか。
デモの首尾はどうだった……と聞きたいところだが、その様子だと、どうやらさんざんな目にあったようだな。

ゼェ、ゼェ、ハァ、ハァ……。
トール様に追い回されるなんてマジ勘弁だよぉ、こわかったよー！

お水、お水が欲しいって気がするよ～。
できれば冷たいジュースだとなお幸せ……。

ううう、途中まではブリュンヒルデの作戦のとおり、うまくいってたのにー。
まさかトールおじさまたちが直接乗り込んでくるとは思わなかったわ。

なるほど、お父様たちは武力で解決を図ってきたか。そうなると次の手は……
ガラッ（部屋のドアが開く）

見つけたぞお前たち！
なんじゃ、さっきの集会は！　数をたのみに仕事をサボろうなど、このオーディンの目の黒いうちは決して認めんから、覚悟しておけい。

はっ、父上！（ビシッと敬礼）
ただいまその件について、卑怯な悪だくみをせず、本来の職務に邁進するよう指導を行っていたところです！

ちょっ!? なに関係なさそうなフリしてるのよ！
裏切ったわねー!!

ならばよろしい。ブリュンヒルデ、おまえの部下だ、しっかり指導しなさい。
スクルド！　フィルルゥ！　ウェルルゥ！
今度同じようなことをしたら、おこづかい半分じゃぞ！

ええ～！

大規模デモに失敗してしまったヴァルキリーたち。しかもチームワークは崩壊寸前、はたして彼女たち、無事待遇UPを勝ち取ることができるのでしょうか……?

案内役のご紹介！

読者のみなさんを北欧神話の世界に招待する、案内役たちをご紹介！

まったくブリュンヒルデったら！
自分だけ逃げるなんて卑怯よ！
あーあ、せっかく準備してた
待遇 UP 作戦もダメになっちゃったし、
ぶっとい釘も刺されちゃったし、
ここからどうやって巻き返そうかしら？
泣き寝入りなんてゼッタイ嫌なんだから！

スクルド

運命の女神「ノルン三姉妹」の末の妹でありながら、ヴァルキリーのお仕事もやらされているが、かわいさと家柄でアイドル的存在としてもてはやされている小悪魔っ子。かわいくおねだりすればたいていの男性は言うことを聞いてしまうとか。

ふう、危ない、もうすこしで
計画が根本から水の泡になるところだった。
しかし数の圧力で要求を通す作戦は
使えなくなってしまったな……。
ならば正攻法でいくしかないか。
要は待遇 UP に正当性があればよいのだから、
説得力のあるレポートを作成するとしよう。
フィルルゥたちに
もう一働きしてもらわなければな。

ブリュンヒルデ

ヴァルキリーたちを現場で率いる指揮官をつとめている、クールなお姉さんヴァルキリー。スパルタ教育で新入りのヴァルキリーたちを震え上がらせている。直接の上司である最高神オーディンの実の娘だが、公私にはきっちり区別をつけるタイプらしい。

あんなにうまくいってたのに、
なんで失敗しちゃったの～!?
でもあきらめないもんね！
最近お仕事たいへんすぎだし、
お休みもすくないし！
ぜったい待遇 UP を勝ち取るぞ～！

フィルルゥ

駆け出しヴァルキリー。ヴァルキリーにとってもっとも重要な「戦死した人間の勇者を天上世界に連れてくる」仕事を担当しているが、まだまだ経験不足。思っていることをつい口に出してしまう癖があり、そのせいで叱られることがしばしば。

うう～、師匠に目を付けられたのはマズイよー。
「おこづかい半分」って言ったら
ホントにやる人だし。
ブリュンヒルデ様、
次の作戦とか考えてるのかな？
フィルルゥはやる気になってるみたいだけど、
なんだかすごくやっかいなお仕事を
押しつけられそうな気がするよ～！

ウェルルゥ

駆け出しヴァルキリーのひとりで、フィルルゥとは同期のトモダチ。ほかのヴァルキリーたちが連れてきた人間の戦士たちのために、武器を作ってあげるのがお仕事。フィルルゥとくらべるといい子そうに見えるが、偉い人がいないところではかなりのワルガキである。

スペシャルゲストのご紹介！

オーディン

北欧神話の最高神として、神の一族「アース神族」を束ねる偉い神様。ヴァルキリーたちの指揮官でもある。スクルドのおねだりに弱いが、締めるところはきっちり締める。

はじめに知ろう！北欧神話

さて、それじゃヴァルキリーのことを勉強する前に、まずは北欧神話のことを勉強するわよ。
え、北欧神話とヴァルキリーに何の関係があるんだって？
馬鹿ねえ、あるなんてもんじゃないわ、大アリよ！
むしろヴァルキリーのことを知りたかったら、北欧神話のことを最低限知ってないとお話しにならないんだから！

ヴァルキリーの故郷「北欧神話」

ヴァルキリーとは「北欧神話」で語り継がれてきた存在です。

北欧とは文字どおり「欧州（ヨーロッパ）の北部」のことです。**具体的にはスカンジナヴィア半島を中心に、右ページの図でピンクと黄色で塗られた地域が北欧と呼ばれています。**

馬に乗って天空を駆けるヴァキリーたち。1890年、ドイツ人画家W.T.マウドの作品。

ヴァルキリーは、北欧神話の主役である神の一族「アース神族」に所属する下位の女神です。そのため、ヴァルキリーについて理解するには、彼女たちの伝承の土台となっている「北欧神話」についても、最低限の知識を身につけておく必要があります。

さあ、これでわかったでしょ。ヴァルキリーのことが知りたかったら、まず北欧神話のことを勉強するのよ。
今回は特別に、わたしが北欧神話を教えてあげるわ！

北欧神話はどこの話？　誰の話？

北欧神話っていうのは、ヨーロッパの北のほう、「北欧」って呼ばれてる地域に伝わってる神話よ。
北欧神話を語り継いでたのは「ゲルマン人」っていう人間たちね。ヨーロッパではかなり有力な民族らしいわよ！

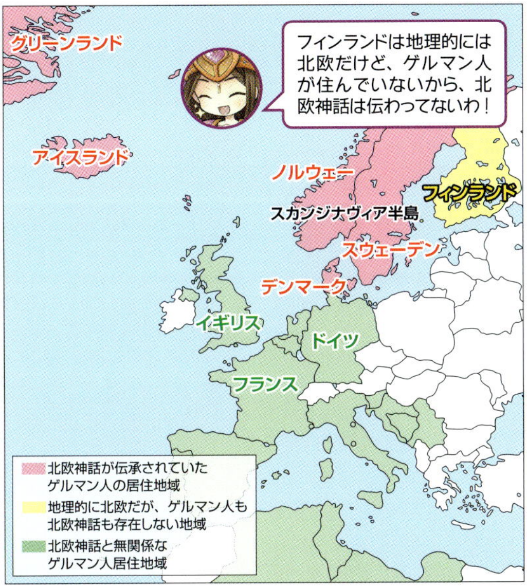

まずは右の図を見てください。この図でピンク色と黄色で塗られている場所が、現在「北欧」と呼ばれている場所です。

北欧神話は、現在でもヨーロッパに広く分布している「ゲルマン人」という民族が語り継いできた神話のうち、特に北欧に住んでいるゲルマン人が語り継いでいたものです。

ドイツが英語で“Germany《ゲルマン人の国》”と呼ばれることかわもわかるように、ゲルマン人は北欧だけでなく、右の図で緑色に塗られた地域にも住んでいましたが、彼らはかなり早い時期にキリスト教徒に改宗したため、ゲルマン人の独自の神話を忘れてしまいました。

つまり北欧神話とは、「ゲルマン人の神話」の、数少ない生き残りなのです。

あれ、スクルド様～、この地図おかしくないですか？
たしかこの「フィンランド」って国、北欧の国でしたよねー？　北欧神話が伝わってなかったことになってますけど。

間違ってないわよ。そのフィンランドって国は、「ゲルマン人」じゃなくて「フィン人」って民族が住んでるのよ。フィン人は「フィンランド神話」っていう民族独自の神話を持ってるから、ゲルマン人の北欧神話とは関係ないってわけ。

まあ、わかりやすく言うと、北欧神話っていうのは「北欧に伝わる神話」じゃなくて、「北欧に住んでたゲルマン人の神話」って言い換えたほうが正しそうね。

北欧神話ってどんな神話？

北欧神話がどこの神話かわかったところで、次は北欧神話のお話の中身を知らないといけないんだけど、え〜っと、どこから話せばいいかしら……。
そうね、とりあえず何でもいいから質問してみなさい！

Q. 北欧神話にはどんな神様がいるんですかー？

A. アース、ヴァン、巨人の３種類よ！

北欧神話には、神の種族や、神に並ぶ力を持つ種族が３つあります。右の図にあげた、「アース神族」「ヴァン神族」「巨人族」の３種族です。

神話の主人公は最高神オーディンが率いるアース神族です。ヴァン神族はそのライバルでしたが、おたがいに人質を交換して同盟を組み、巨人族に対抗しています。

北欧神話を代表する3つの神族

アース神族
多彩な力を持つ神が集まった種族。

ヴァン神族
魔法を得意とする神の一族。

巨人族
巨体と怪力が特徴の邪悪な一族。

Q. どんな内容のお話なの？

A. 世界の始まりから終わりまでを描いてるわ

北欧神話は、何十個もの神話詩によって構成される神話です。それぞれの物語は北欧神話の世界が生まれてから現在に至るまでに起こった事件のひとつひとつを題材にしていますが、一部の神話詩では、北欧神話の世界が創造されてから、きたるべき未来に世界が滅亡するまでがダイジェスト形式で説明されています。

北欧神話の世界で起きる事件の多くは、アース神族の最高神「オーディン」や、その配下であるトラブルメーカーの神「ロキ」によって引き起こされます。

みんな知ってる? 北欧神話のキーワード

北欧神話ってアンタたちにとっても身近な神話なのよ……え、聞いたことないですって？　そんなはずないわ。北欧神話の用語って、びっくりするくらいあちこちでに使われてるんだから！

北欧神話に由来する有名な単語

魔法のアイテム

北欧神話は、名のある魔法のアイテムが無数に登場する神話です。以下のような武器やアイテムは、その多くが手先の器用な小人族ドヴェルグの作品で、創作作品でおなじみの名前となっています。

- **オーディンの槍：グングニル**
- **雷神トールのハンマー：ミョルニル**
- **竜殺しの剣：グラム**
- **魔法の腕輪：ドラウプニル**

ルーン文字

独特の形状を持ち、物品に刻むことで魔法の効果を発揮することで有名な**ルーン文字**は、北欧の社会で実際に使われていた独自のものです（➡ p88）。石や木に刻んで記録するため、刃物で刻みやすいように直線的な形になっています。

北欧神話においては、この魔法文字は、アース神族の最高神であるオーディンが、生命をも危険にさらす苦行のすえに開発したものだとされています。

モンスター

北欧神話は、以下のような恐ろしい怪物の宝庫です。ゲームや創作作品などでは、主人公に敵対するモンスターとして、これらの存在が活躍しています。

- **悪竜：ニーズヘッグ、ファフニール**
- **巨狼：フェンリル**
- **怪鳥：フレスヴェルグ**
- **巨大蛇：ヨルムンガンド**
- **魔獣：ガルム**

ラグナロク

創作作品の作品名、魔法名、武器名などでよく見られる「ラグナロク」という単語は、北欧神話の未来で起こる、世界を滅ぼす最終戦争の名前です。

ラグナロクでは、太陽と月が魔物に飲み込まれたあと、人間や神々の住む世界に、巨人や怪物が大量に攻め寄せてきます。神々は人間と協力して巨人たちを倒そうとしますが敗北し、世界は炎巨人に焼き尽くされてしまいます。

どう？　ちょっとファンタジーとかに興味があるなら、知ってる単語が結構あったんじゃないかしら？
これから紹介するヴァルキリーや女神のなかにも、知ってる名前がけっこうあると思うわ。北欧神話って結構身近なものなんだから！

この本の読み方

これから我々が会いに行く相手は、ヴァルキリー、女神、巨人族など実に多岐にわたる。
彼女たちがどのような存在であるのか、一目でわかるようにデータをまとめてあるので、かならず目を通しておくように。

データ欄の見かた

炎を越えたら chu してあげる！

ブリュンヒルデ

種族：ヴァルキリー　別名：シグルドリーヴァ、ブリュンヒルド
出典：『古エッダ』の神話詩、『ヴォルスンガ・サガ』、『ニーベルンゲンの指環』など

ヴァルキリー、女神の名前

キャラクターデータ

女神やヴァルキリーの特徴を説明する各種データです。それぞれの意味は以下のとおりです。

種族：ヴァルキリー、アース神族、巨人族など、キャラクターの種族を表示します。
別名：キャラクターの別名や、日本語訳のバリエーションです。
出身地、居住地：キャラクターの生まれた場所や、今住んでいる場所です。
出典：キャラクターをはじめて紹介した文献や、主要な文献を表示します。

この「居住地」ってなんなんですかー？
ボクたちヴァルキリーは、みんな神の世界「アースガルズ」に住んでますよね。

ああ、それはほら、神様って自分専用の宮殿を持ってたりするでしょ？　そういう「普段いる場所」がはっきりわかってる場合に書いてあるらしいわ。

スクルドであれば「ウルズの泉」と書かれているはずだ。
そのほかにも、特定の場所に封印されていたり、特定の場所を守っている者もいる。

15 ページより、ヴァルキリーと北欧神話の世界へ出発！

ヴァルキリー

Valkyrjur

ヴァルキリーとは、北欧神話に登場する、
下級の神に近い存在です。
本書では北欧神話の原典である
『古エッダ』と『新エッダ』、
そして北欧神話の流れをくむ
英雄物語に登場するヴァルキリーたち、
合計９組を紹介します。

illustrated by しかげなぎ

ブリュンヒルデ

ヴァルキリーってなあに?

我らヴァルキリーは、北欧神話に登場する種族だ。全員が例外なく女性で、多くの者が私と同じように甲冑と槍で武装している。日本では「戦乙女」などと呼ばれることもあるようだ。
それではさっそく、ヴァルキリーについて、この私ブリュンヒルデから説明していくとしよう。

ヴァルキリーは女神である!

まず最初に、われわれヴァルキリーという存在の「立場」について説明するとしようか。
ヴァルキリーとは、北欧神話の下位の女神の一種なのだ。

北欧神話では、個人名が知られていない、下位の女神の集団のことを「ディース」と呼んでいます。ヴァルキリーは、この「ディース」の一種です。

ヴァルキリーの主人はアース神族の最高神オーディンであるため、ヴァルキリーもアース神族に属すると思われますが、神話のなかにはヴァルキリーが明確にアース神族の一員だと書かれている箇所はありません。

女神とヴァルキリーの位置づけ

アース神族の女神

高位の女神
- フリッグ（➡p56）
- イズン（➡p64）
- サーガ（➡p66）

など

下位の女神（ディース）
- **ヴァルキリー（➡p15）**
- フュルギャ（守護霊）（➡p126）

など

ヴァン神族の女神
- フレイヤ（➡p26）

など

巨人の女神
- ノルン（➡p30）

など

ただ、神話でヴァルキリーって言われてる子に、どーみても女神じゃなくて人間のお姫様な子が結構いるのよ。なんでかしら?

ヴァルキリーの外見と能力

ヴァルキリーの外見といえば、私のように鎧兜を身につけて、武器や盾を持った姿を思い浮かべるだろうな。だが、もちろん年中武装しているわけではない。TPO に応じた服装があるのだ。

ヴァルキリーの2種類の服装

戦士の服装

神話に登場するヴァルキリーは、甲冑を身につけ、手に槍を持ち、馬に乗った女戦士として描かれます。武器が槍であるのは、彼女たちの主人であるオーディンが槍を武器とする神であることを反映したものです。

天女の服装

武装していないヴァルキリーが地上に降りてくることもあります。その場合、ヴァルキリーは「白鳥の羽衣」という衣を身につけており、その力で空を飛ぶとされています。くわしくは 40 ページを参照してください。

もっとも、ヴァルキリーの姿はこれだけではない。なにせ我々ヴァルキリーは変身能力を持っているからな。白鳥の羽衣を身につけるだけでなく、最初から白鳥に変身して人間の世界に降りることだってある。
そのほかにも我々は、空を飛んだり、限定的ながら人間の運命を定める能力などを身につけているのだ。

ヴァルキリー？ ワルキューレ？

ヴァルキリーっていう呼び方は、英語の呼び方なのよ。ドイツ語のワルキューレっていう読み方も有名よね。北欧の古ノルド語だとヴァルキュリヤって発音するのよ。意味は「戦死者を選ぶ女」ってところかしら。
いろんな呼び方があるわけだけど、とりあえず今回は「ヴァルキリー」っていう読み方で統一するわね。みんなにおなじみの読み方だし、ピンときやすいでしょ！

ヴァルキリーの3つのお仕事

われわれヴァルキリーが、偉大なる我が父オーディンより与えられた使命は、「人間の世界から、戦死者の魂を連れてくる」ことだ。

はーい、ブリュンヒルデ様質問ですー！
戦死しちゃった人の魂を連れてくるのはいいんですけど、人間たちが戦争しないときはどうするんですかー？

……妙なことを聞くな、フィルルゥ。
戦争がないならさせればいい、戦死者がいないなら**作ればいい**ではないか。
有望な戦士に死の運命を与えるのも、我らヴァルキリーの重要な仕事だぞ。

ヴァルキリーは、アース神族の最高神オーディンによって、人間どうしの戦争で死んだ勇敢な戦士たちの魂を集め、管理する仕事を与えられています。彼女たちの仕事は、戦死者の生産、収集、歓待の３段階に分かれます。

馬鹿もん、そんなジト目で見るでない！　ワシが人間界から勇敢な戦死者を集めているのはな、このあと世界を襲う「ラグナロク」という災厄に備えてのことなのじゃぞ！　べつに好きで戦争を推進しているわけではないわい。

えっと……**ラグナロク**ってなんだっけ……。

オーディン様が教える ラグナロクってなんのこと？

ラグナロクとは、世界のすべてを巻き込んだ大戦争じゃ。
この戦争はまだ発生しておらん！　だが巫女たちの予言によれば、ラグナロクは絶対に回避不可能な、運命づけられた未来なのじゃよ。

ラグナロクとは、北欧神話に「未来の出来事」として予言されている、最後の大戦争です。北欧の人々は運命の存在を強く信じており、ラグナロクは将来かならず起きると考えられていました。

ラグナロクでは、北欧神話の主人公である神の一族「アース神族」の本拠地に、神々の敵である巨人族やモンスターが攻め込んできます。神々は敗死し、世界も滅亡することが定められています。

ヴァルキリーお仕事レポート

今日は、ヴァルキリーたちのお仕事っぷりを密着取材してみましょ。
さっそく人間界で戦争が始まったわね。さあヴァルキリーのみんな、出動よ！

お仕事準備!

オーディンから指示を受け出動

人間の世界ミズガルズで戦争が発生すると、ヴァルキリーの一団がオーディンのもとに集められます。オーディンはこの戦争をどちらの勝利にするか、どの戦士がこの戦いで命を落とすかを定め、それをヴァルキリーたちに伝えます。

お仕事①!

戦争の結果を決める

ヴァルキリーたちは、馬に乗ってアースガルズを出発すると、天空を駆けて戦場の上空にたどり着きます。そして運命の女神としての力を使って、オーディンから指示を受けたとおりに戦争の結果を決め、戦死予定者が死ぬように仕向けます。

お仕事②!

戦死者の魂をエスコート

戦争が終わると、ヴァルキリーは戦場をただよう戦死者の魂のなかから、特に勇敢な者、身分の高い者などを選んで、アースガルズに連れて行きます。

くわしくは次のページで!

お仕事③!

ヴァルハラ宮でおもてなし

ヴァルキリーに選ばれた戦死者は、神々の宮殿「ヴァルハラ」に招待され、ラグナロクまでこの宮殿で日々を過ごすことになります。ヴァルキリーは宴会の給仕役など、彼らの生活の世話をし、また新しい任務が下るのを待つのです。

勇者の魂を集めよう!

前のページで説明した、ヴァルキリーたちの２番目の仕事は、戦死した人間の勇者の魂を天上世界に連れて行くことだ。このような人間の勇者の魂のことを「エインヘルヤル」と呼んでいる。
我が父オーディンは、彼らを兵士として活用するのだ。

どうして“エインヘルヤル”が必要なの?

ところでお爺さま、スクルド不思議だったんだけど、なんでわざわざ人間の力を借りるの？戦争するならアース神族には強い神様がいっぱいいるじゃない。雷神トールおじさまに戦ってもらえば、巨人の 100 人や 200 人はイチコロだわ！

敵の数が多すぎるんじゃよ。なにせ地上から地下まで世界中に住んでいる巨人どもが一斉に攻めて来おる。しかも巨人や怪物どものなかにはとてつもなく強力な連中がおるから、そやつらはトールやワシが直々に相手をせねばならんのじゃ。

　オーディンによって死の運命を与えられ、戦死した勇者の魂は、ヴァルキリーに連れられて神々の住む世界アースガルズ（➡p140）に招かれます。こうして集められた魂は「エインヘルヤル」と呼ばれます。

　集められたエインヘルヤルの使命は、来るべき大戦争「ラグナロク」で、神々の兵士として巨人軍団と戦うことです。

主要な神の皆様は、大物の怪物を相手どるのに手いっぱいなので、巨人の大軍を食い止めるには、こちらも大量の兵士が必要なのだ。

ラグナロクで神々が戦う敵とは?

　予言によれば、ラグナロクでは、神々と巨人が以下のような組み合わせで戦うことが運命づけられています。

アース神族陣営		巨人陣営
 オーディン	vs	巨狼フェンリル
 トール	vs	世界蛇ヨルムンガンド
 フレイ	vs	炎巨人スルト 
 ヘイムダル	vs	ロキ 
その他の神々	vs	主要な巨人、怪物
エインヘルヤル	vs	巨人軍団

栄光ある“勇者《エインヘルヤル》”の資格とは?

エインヘルヤルに選ばれることは、北欧の戦士たちにとって最大の名誉だ。しかし死者が誰でもエインヘルヤルになれるわけではない。その資格を、こっそり教えてさしあげよう。

エインヘルヤルに選ばれる条件

- **戦争で命を落とした**
- **一定以上の高い身分**
- **勇敢な戦士である**

エインヘルヤルになれない死者はどうなるんだろ？　35ページで教えてくれるって！

エインヘルヤルに選ばれるのは、勇敢な戦死者のうち、王侯貴族などの身分の高い者か、特に勇敢な一般市民だけです。どれだけ勇敢でも、奴隷身分の者はエインヘルヤルになれません。

エインヘルヤルとなった者は、ヴァルキリーによって、オーディンの「ヴァルハラ宮殿」に招待されます。ここには死んだ者が翌朝に復活する魔法がかかっているので、勇者たちは毎日真剣勝負で戦いの腕を競い合い、その戦技を高めることができます。こうしてエインヘルヤルはラグナロクの戦いに備えるのです。

エインヘルヤルたちってば、毎日の日課で殺し合いをしたあとは、酒池肉林の大宴会を毎晩やるのよ。この宴会のお世話役もヴァルキリーの仕事だし、ぶっちゃけハードすぎ！　やっぱり待遇改善を……。

ええい、駄目ったら駄目じゃ！
すべてはラグナロクで巨人どもと戦うために必要なことなんじゃ。
つべこべ文句を言わずに働かぬか〜！

ラグナロク後の世界

神話では、ラグナロクの戦いは巨人側の勝利に終わり、アース神族の神々は、ほとんど戦死してしまうことが運命づけられている。もちろん、世界のほうも無事で済むわけがない。北欧神話の世界は「世界樹ユグドラシル」という巨大な木の中にすべて含まれているが、この木そのものがスルトという炎巨人に焼き尽くされてしまうのだ。

しかし世界が完全に滅ぶわけではない。わずかに焼け残った世界には、オーディン様の息子バルドルをはじめ一握りの神々と人間が生き残り、新しい世界を作る。北欧神話はいわば破壊と再生の神話なのだ。

炎を越えたらchuしてあげる!

ブリュンヒルデ

種族：ヴァルキリー　別名：シグルドリーヴァ、ブリュンヒルド
出典：『古エッダ』の神話詩、『ヴォルスンガ・サガ』、『ニーベルンゲンの指環』など

オーディンにそむいたヴァルキリー

北欧神話に数多いヴァルキリーたちのなかでもっとも有名なのは、北欧神話の英雄シグルズの恋人として知られる「ブリュンヒルデ」だろう。彼女は北欧神話ではブズリという人間の娘だが、19世紀に作られたオペラ『ニーベルンゲンの指環』では、最高神オーディンの娘ということになっている。

ブリュンヒルデの外見は典型的なヴァルキリーで、非常に美しい女性だが、体にぴったりとフィットし、着ていると男と見間違えるほどに立派な甲冑に身を包んでいる。ヒャールムグンナルという年老いた名馬を駆り、オーディンの命令どおりに英雄の魂を集めるのが彼女に与えられた役割である。

魔術に引き裂かれたふたりの恋

あるとき、ブリュンヒルデはオーディンの命令に背き、戦死させなければいけない人物に荷担して彼に勝利をもたらした。そのためオーディンは彼女に罰を与え、炎の檻に閉じ込めて永遠に眠りにつかせたのだ。ブリュンヒルデを眠りから起こすことができるのは「恐れを知らない者」だけであり、これを達成したのが、炎をものともせず檻の中に入ってきた、ドラゴン殺しの英雄シグルズだった。

槍を持ち鎧兜を身につけたブリュンヒルデ。1910年、イギリス人画家アーサー・ラッカム画。

古エッダ『シグルドリーヴァの歌』では、ブリュンヒルデが「シグルドリーヴァ」という別名で登場し、彼女とシグルズの出会いの場面が描かれている。彼女の眠りの呪いを解いて求婚するシグルズに対して、シグルドリーヴァは自分が眠らされた理由と、シグルズに迫る死の運命について語る。シグルズは死の宣告を「運命だから仕方ない」と受け入れる一方で、ブリュンヒルデに「生きている限りあなたの愛を得たい」と願うのだった。ふたりは短い結婚生活を送るが、ブリュンヒルデが運命に背いていることが問題視され、ふたりは泣く泣く別れることになった。

時が過ぎ、ふたりの愛は最悪の形で引き裂かれる。シグルズはふたたび彼女の眠りを覚ますことになるが、このときシグルズは魔法の薬によって記憶を失い、すでにグズルーンという人間の娘と結婚していた。しかもシグルズは、魔法によって妻の兄グ

ンナルの姿をとり、グンナルとして彼女を起こしたのだ。妻の兄にもっともよい花嫁を与えようという動機からの行動だったが、いかに記憶を失っているとはいえ、これはふたりが誓った永遠の愛に対する重大な裏切りである。

シグルズの変装は10年のあいだ露見することはなかったが、シグルズの妻グズルーンがこの事実を暴露し、勇気無き者（グンナル）と結婚したとブリュンヒルデを侮辱した。怒りと嫉妬を暴走させたブリュンヒルデは、夫のグンナルに命じてシグルズとその子を殺させたのち、自身もあとを追って自殺してしまったという。

古エッダ『ブリュンヒルドの冥府への旅』では、死んだブリュンヒルデが冥府へ向かう旅の様子が描かれている。「他人の夫を追いかけるなんて」とブリュンヒルデを馬鹿にした女巨人に対して彼女は、結婚時にだまされていたこと、それでも自分とシグルズの絆は壊れないことを声高に宣言し、堂々とした姿を見せつけた。

ブリュンヒルデ伝説の後継者たち

『エッダ』に収録されたブリュンヒルデとシグルズの物語は、北欧神話を代表する人気物語となった。なかでも『ヴォルスンガ・サガ』は、一連の断片的な物語をひとつの流れに整理した作品だ。ここではブリュンヒルデとシグルズの関係性は同じだが、短い結婚生活で娘が生まれているなど、物語の細部に違いが見られる。

リヒャルト・ワーグナーの手による傑作オペラ『ニーベルンゲンの指環』では、ブリュンヒルデは最高神ヴォーダン（オーディンに相当する神）の策略に翻弄される実の娘である。シグルズはドイツ語読みのジークフリートという名前で登場し、ドラゴンの血を浴びて不死身の力を得ている。あとの展開は『エッダ』の物語に近く、ジークフリートを誤解により殺してしまったブリュンヒルデは、ジークフリートの遺体を燃やす炎に飛び込んで自殺する。その炎は神の住むヴァルハラの城へと燃え移り、世界の破滅「ラグナロク」の引き金となってしまった。

アイスランドの女王ブリュンヒルド

『ヴォルスンガ・サガ』と同じようにブリュンヒルデの物語を元にしたドイツの英雄物語『ニーベルンゲンの歌』では、イースラント（アイスランドのこと）の女王ブリュンヒルドとして登場。武芸に優れた人間女性として扱われている。

男性が彼女との結婚を望む場合、その条件は、ずばり彼女との決闘に勝つこと。挑戦者は、投げ槍の技術や石の投擲などの種目で彼女に勝たなければ首をはねられるという過酷なものだった。だが、ブリュンヒルドの美しさゆえに挑戦者はあとを絶たず、何人もの勇士が命を落としている。結局、彼女は主人公ジークフリートの策略により、グンテル王と結婚するものの、初夜にグンテル王をベッドの上に逆さ吊りにするなど、弱い男には屈しない力強さを見せつけていた。

『ブリュンヒルデの冥府への旅』だと、ブリュンヒルデ様がオーディン様の命令に逆らったのは12歳のときなんだって。……え、12歳？　ブリュンヒルデ様ってロリっ子だったの？

illustrated by 蔓木鋼音

死んだらこっちへいらっしゃい♥

フレイヤ

神族：ヴァン神族　別名：ヴァナディース、マルドル、メングロズなど多数
生誕地：ヴァナヘイム（ヴァン神族の世界）　出典：『古エッダ』

愛と豊穣と魔法の女神

北欧神話でもっとも有名な女神のひとり、フレイヤ。彼女は自由奔放な愛と美の女神で、北欧神話の神々に「セイズ魔術」という占いの技術を教えた魔法の神でもある。絵画などでは金髪と青い瞳で描かれる美しい女神だ。

彼女は女神であってヴァルキリーではない。そんな彼女がヴァルキリーの章で紹介されているのは、フレイヤがヴァルキリーを指揮する者のひとりであり、ヴァルキリーによって運ばれてきた戦死者の魂を半分手に入れる権利を有しているなど、ヴァルキリーときわめて深い関係にあるからだ。

『古エッダ』の『グリームニルの歌』や、『新エッダ』の『ギュルヴィたぶらかし』が語るところによれば、フレイヤは神々の世界アースガルズにフォールクヴァングという館を持っており、そこにヴァルキリーたちが連れてきた戦死者の魂を半分選んで住まわせる。そして残りの半分はオーディンの館ヴァルハラに送るのだという。つまりヴァルキリーの主人であるオーディンよりも、なぜかフレイヤのほうが優先的に、自分が所有する戦死者を選んでいるのだ。

これらの好待遇や、戦死者を選ぶのは本来ヴァルキリーの役割であることから、北欧神話の研究者のなかには、フレイヤ自身もヴァルキリーであり、ヴァルキリーのリーダーなのだと考える者もいる。

女神としてのフレイヤ

主神オーディンや雷神トールなど、北欧神話の主人公は「アース神族」と呼ばれる神の一族に属している。ところがフレイヤは彼らと違い、魔法を得意とする「ヴァン神族」出身の女神である。ヴァン神族はアース神族と敵対関係にあったが、両者は和平を結び、おたがいの重要人物を人質として交換することになった。フレイヤはこのとき、双子の兄フレイとともに人質としてやってきた。

猫のひく戦車に乗り、愛の精霊をしたがえるフレイヤ。猫は彼女の与えるあたたかな情愛を意味する動物である。19世紀スウェーデンの画家、ニルス・ブロメールの作品。

フレイヤは、猫に引かせる戦車、着ると空を飛べる「鷹の羽衣」など多くの宝物を持っている。なかでも炎のように輝く首飾り「ブリーシンガメン」は貴重で、これを手に入れるために、フレイヤが職人に自分の体を差し出したほどの逸品だ。

illustrated by 穂里みきね

女神フレイヤの男性遍歴

アース神族の神ヘイムダルに、奪われたブリーシンガメンの首飾りを取り戻してもらったフレイヤ。1846年、スウェーデンの画家、ニルス・ブロメールの作品。

フレイヤは恋と愛欲の女神である。彼女は夫がいるにもかかわらず、北欧神話の最高神オーディンの愛人となった。それだけではなく、彼女は気に入った男がいれば誘惑し、ベッドをともにする。フレイヤのお相手をつとめるのは神だけではなく、巨人族、小人族（ドヴェルグ）、人間など、種族の垣根は存在しない。そのなかには兄フレイとの近親相姦すら含まれている。

北欧神話のトラブルメーカー「ロキ」は『ロキの口論』という神話で、フレイヤに対して、宴会のために集まっているアース神族の男神全員と関係を持ったのではないかと悪口を言っている。直後にフレイヤに嘘だと言われてはいるが、そんな悪口が成立してしまうくらい多くの相手がいたことは事実のようだ。

また、彼女は小人族（ドヴェルグ）の職人からブリーシンガメンの首飾りをもらうために、「あなたと一夜をともにできるなら、首飾りをさしあげる」という要求に答えて、職人たちにその身を差し出している。いわば彼女は、その美しい体を売ってブリーシンガメンを買ったのである。

フレイヤはこのように多くの男性と関係を持つ奔放な女神であるが、だからといって夫のことを無視はしていない。フレイヤの神話には「フレイヤが夫の不幸に金色の涙を流す。これが地面にしみこんで固まったのが黄金だ」という内容の物語があるのだ。ただしこの神話には複数の種類があり、オッドという名前の夫が行方不明になるものや、スヴィプタグという夫が怪物に変えられるものなどがある。

混ぜこぜフレイヤ

北欧神話の女神のなかで、フレイヤの出番は飛び抜けて多い。その理由は、ほかの女神の出番が、フレイヤの出番に差し替えられたからだという疑いが強い。

北欧神話の物語が、一貫した文章にまとめられたのは12～13世紀ごろだ。それまでの神話は詩人たちの暗記で伝承されていたため、詩人たちが改変を行えば、神話の本来の姿は忘れ去られて「フレイヤが活躍する神話」になってしまう。

フレイヤによって「活躍の場を奪われた」女神としてもっとも有力なのが、彼女と名前がよく似ている、主神オーディンの妻フリッグ（➡p56）である。ただし北欧神話の研究者のなかには、フリッグとフレイヤはもともと同一人神格だったが、時代ごとに呼び名が違ったため、別々の神と誤解したのだと主張する者もいる。

フレイヤ様と、そのダンナ様のオーズ様のお話は、おふたりの娘のフノス様のページで見ることができるよ。フレイヤ様の意外に純情な面が見られておどろきって気がするよ～。76ページへいってみよう！

女神が化けたヴァルキリー？「ゲンドゥル」

うーん。たしかに私たちヴァルキリーにとってフレイヤ様はすっごく身近な女神様だけど、それとフレイヤ様がヴァルキリーかどうかっていうのは別の話な気がするんだけどなー。

ん、何言ってるの？　フィルルゥ一緒にお仕事したじゃない。
先月一緒に地上に行ったヴァルキリーの「ゲンドゥル」様って、あれフレイヤ様がヴァルキリーのお仕事するときに使う名前よ。

　ゲンドゥルは、古エッダ『巫女の予言』で、スクルドのうしろについて飛んでいる、9 名のヴァルキリーのひとりである。名前には「魔力を持つ者」という意味がある。彼女の名前は『ソルリの話』という神話詩にも登場しており、ここでゲンドゥルは非常に手の込んだ方法で戦士たちを破滅に追い込んでいる。

　ゲンドゥルは仲のよいふたりの王（ヘジン王とホグニ王という）の片割れ、若きヘジン王に魔法の酒を飲ませて魅了し、彼の船で親友ホグニ王の妻を押しつぶし、ホグニ王の娘ヒルドを誘拐するように命じた。ヘジン王はそれを文字どおりに実行したため、ホグニ王は激しく怒り、軍勢を率いてヘジン王に復讐戦をしかけたのである。ふたりの軍は徹底的に殺しあったが、殺されたはずの戦士たちはしばらくあとに不思議な力で立ち上がり、戦いをやめようとしない。戦いは 143 年もの長きにわたって続き、外からやってきたイーヴァルという男がすべての戦士にとどめを刺すまで終わらなかったという。

ゲンドゥルの正体はフレイヤか？

　北欧神話の学者のあいだでは、ヘジン王を罠にかけて永遠の戦いに導いたゲンドゥルの正体はフレイヤだという説が有力だ。『ソルリの話』の序盤では、フレイヤが「ブリーシンガメンの首飾り」をオーディンにとりあげられ、首飾りを返すかわりに「ふたりに王と従者に魔法をかけ、争うようにしろ」と命じられている。そしてゲンドゥルはあきらかにふたりの王を争わせようとしているし、ヘジン王に「オーディンの望みに従って行ったことだ」と暴露しているので、ゲンドゥルの正体がフレイヤだという説は、きわめて信憑性の高い話だと言えるだろう。

うわぁ、143 年間殺しあわせ続けるって……えげつなぁ。

さすがはフレイヤ様だ。143 年ものあいだ本気で殺しあい続けた勇者の魂、どれほど強いエインヘルヤルとなることか。
おまえたちもぜひ見習うといい。

え、遠慮しておきま～す……。

女神と兼業ヴァルキリー！

スクルド

神族：ヨトゥン（巨人）or アース神族／ヴァルキリー　別名：ノルニル　居住地：ウルズの泉　出典：『古エッダ』

ヴァルキリーにして運命の女神

ヴァルキリーとして武装したスクルドと、彼女の姉であるウルズ、ヴェルザンディ。イギリスの北に浮かぶ島、フェロー諸島が2003年に発行した切手より。

北欧神話のヴァルキリーのひとりであるスクルドは、ヴァルキリーとしての側面と、運命の女神としての側面という二足のわらじで知られる存在だ。

ヴァルキリーとしてのスクルドは、北欧神話の原典である『古エッダ』でもっとも重要とされる『巫女の予言』の第 30 節に登場。6 人のヴァルキリーをうしろにしたがえて、馬に乗り、片手に盾を持って天を駆ける姿が描写されている。

また、もうひとつの重要な原典である新エッダ『ギュルヴィたぶらかし』の第 36 章では、スクルドが「運命の女神のうちのいちばん末の者」という立場でありながら、グズ、ロタというふたちのヴァルキリーたちとともに「たえず馬にまたがって戦死者を選び、戦いの決着をつける」という、あきらかにヴァルキリーが果たすべき仕事をしている。

ちなみにスクルドという名前には「税、負債、義務、未来」のどれかの意味があると考えられている。戦士たちの“未来”を定め、戦死という“負債”と“義務”を払わせるというヴァルキリーの仕事に似合う名前といえるだろう。

運命の女神「ノルン」

スクルドはヴァルキリーであると同時に運命の女神でもある。北欧神話では運命の女神のことをノルンと呼ぶが、スクルドたちは 3 姉妹で活動しているため複数形のノルニルと呼んだり、「ノルン三姉妹」などと呼ぶこともある。この三姉妹のほかにも、もっと多くのノルンたちが存在しているが、スクルドたち三姉妹がもっとも強力で有名であるため、単にノルンといえば彼女たちのことを指すことも多い。

ノルンの三姉妹は、長女ウルズ、次女ヴェルザンディ、三女スクルドの 3 人組である。彼女たちは世界すべての運命を決める役割を持っているため強い権限を持ち、最高神オーディンですら彼女たちの決定には逆らえないのだという。

なお、彼女たちが定める運命のなかで、神話でもっとも多く言及されているのは「人間の寿命を定める」という役割である。『巫女の予言』によれば、三姉妹のうちウルズとヴェルザンディは、板きれにルーン文字を刻むことで、人間の寿命と運勢を定めるのだという。『フンディング殺しのヘルギの歌』という神話では、三姉妹が全員で

illustrated by あみみ

運命の糸をつむぐことで、人間界で王となる赤子が、将来手に入れるであろう領地の広さを定めている。

そしてノルン三姉妹たちには、運命を定める仕事のほかに、もうひとつ大きな仕事が与えられている。それが「世界樹の健康管理」である。北欧神話の世界は、ユグドラシル（➡p137）という宇宙規模の巨大な樹木の中に存在しているのだが、この木は外敵からの攻撃によって衰え、いつ枯れてもおかしくない状況にある。ノルン三姉妹は、このユグドラシルの根が伸びている泉「ウルズの泉」のほとりに家を構えており、日々泉から浄化の力を持つ水と泥をすくいとって、ユグドラシルの根に浴びせ、ユグドラシルを癒して延命しているのだ。

ノルン三姉妹（左からウルズ、ヴェルザンディ、スクルド）を描いたもの。1844年、デンマーク人画家ヨハン・ルードヴィヒ・ルンド画。

ノルン三姉妹に見られる勘違い

一般的にノルン三姉妹は、“長女のウルズは「過去」、次女のヴェルザンディは「現在」、スクルドは「未来」を担当する”とされ、絵画でもこのイメージで描かれることが多いが、神話の原典にはこの記述は見られない。しかも3人の名前の語源はどれも「未来」を意味する言葉で、過去や現在という意味はどこにもないのだ。

実は、運命の女神が3人組だというのはヨーロッパの神話で非常に一般的な概念であり、ギリシャ神話、ローマ神話、ケルト神話で同様の構造が見られる。そしてギリシャ神話とローマ神話で3女神が「過去、現在、未来」の役割を分けあっているため、これがいつのまにか北欧神話のノルン三姉妹と混同され、本来の神話にない役割分担が想像されるようになったのだと考えられている。

三姉妹以外のノルンたち

ノルンという名前は、種族名でも個人名でもなく、神々の世界における「運命の女神」という役職の名前である。古エッダ『ファーヴニルの歌』によれば、ノルンにはアース神族出身の者もいれば、妖精族アールヴ出身の者も、小人族ドヴェルグ出身の者もいるのだという。また、彼女たちは常に公平に仕事をするわけではない。人間の運命を担当するノルンが良いノルンであれば幸運がもたらされるが、悪いノルンであれば人間を不幸にする。個人の名前こそ三姉妹意外には知られていないが、彼女たちはどれも個性ある存在なのである。

古エッダの『巫女の予言』ってやつにね、「アース神族の世界に巨人の3人娘がやってきたせいで、世界は崩壊に向かい始める」って書いてあるらしいのよ。誰よその巨人の3人娘って……って、それ私たちのことじゃない！

『古エッダ』と『新エッダ』

ブリュンヒルデ様～！　先輩ヴァルキリーのみなさんの経歴のところに、よく『古エッダ』とか『新エッダ』って書いてあるんだけど、これなんですか～？

ふむ、『古エッダ』『新エッダ』については、お前たちがもっと神話にくわしくなってから、132 ページあたりでくわしく説明する予定だったのだが……たしかにいまのうちに教えておいたほうがいいかもしれないな。

北欧にかぎらず神話について語る場合、その物語が、本当に当時の人々に広く事実として受け入れられていた神話なのか、それとも後世の人々が個人の才能で作り上げた創作物語なのかを明確に区別しなければいけない。そのため神話研究の世界では、間違いなく当時の信仰と関係している文献のことを「原典」と呼んで、それ以外の文献と区別しているのだ。

北欧神話にも複数の原典が存在する。そのなかでもっとも重要な原典とされているのが、ふたつの文献群『古エッダ』と『新エッダ』なのだ。

古エッダ（別名：詩のエッダ、歌謡エッダ）

9 世紀から 13 世紀にかけて文字にまとめられた数十点の神話詩を、まとめて『古エッダ』と呼んでいる。

もともとは 13 世紀に制作された詩集『王の写本』に収録されていた詩をこの名前で呼んでいたが、そのあとに発見された詩でも、同じ時代、同じ形式の詩ならば『古エッダ』に含めることになった。

新エッダ（別名：スノリのエッダ、散文のエッダ）

13 世紀アイスランド（p11 参照）の政治家にして詩人スノリ・ステュルルソンによる詩の参考書である。

全体は三部構成で、神の紹介と神話のあらすじをひとつにまとめた第一部『ギュルヴィたぶらかし』が重要。第二部『詩語法』には、詩の技法の実例として、『古エッダ』に含まれていない古い神話も紹介されている。

えーっと、つまり『古エッダ』とか『新エッダ』っていうのはジャンルみたいなものだと考えればいいのよね。例えばグリム童話『赤ずきん』だったら、赤ずきんっていうお話しはあるけど「グリム童話」っていうお話しはない、みたいな。

うむ、おおむねそう考えて間違いはない。あとは、新エッダの『ギュルヴィたぶらかし』は、古い神話をスノリが再構築したもので、本来の神話から内容がすこし変わっていることを覚えておくといいだろう。

戦士のみなさんお世話します！

ヴァルハラ宮のヴァルキリー

種族：ヴァルキリー　居住地：ヴァルハラ宮殿　出典：古エッダ『グリームニルの歌』

勇者をもてなす給仕役

ヴァルハラ宮殿で宴を楽しむ勇者の魂エインヘルヤルたちと、彼らの給仕役として働くヴァルキリー（左）。ドイツ人画家エミール・デプラーの 1905 年の作品。

ヴァルキリーたちのもっとも大事な仕事は、戦場に降臨して、戦死した勇者の魂「エインヘルヤル」を天上世界アースガルズに連れてくることだが、彼女たちの仕事は勇者の魂を連れてきただけでは終わらない。最高神オーディンが所有する戦死者のための宮殿「ヴァルハラ宮殿」に彼らを案内し、そこでの生活を手助けしなければいけないのだ。

古エッダ『グリームニルの歌』には、ヴァルキリーたちが最高神オーディンも出席する大宴会で、給仕役をつとめる場面が描写されている。オーディンはフリストとミストというヴァルキリーに、酒の入った角の杯を持ってこさせ、エインヘルヤルには 11 人のヴァルキリーをあてがってビール（麦酒）を運ばせているのだ。この節で名前が挙がっているヴァルキリーの一覧と名前の意味は、以下のとおりである。

フリスト（Hrist）……とどろかす者
ミスト（Mist）……霧
スケッギョルド（Skeggjǫld）……斧の時代
スケグル（Skǫgul）……戦
ヒルド（Hildr）……戦
スルーズ（þrúðr）……強き者
フレック（Hlǫkk）……武器をがちゃつかせる者
ヘルフィヨトゥル（Herfjǫtur）……軍勢の縛め
ゲル（Gǫll）……騒がしき者
ゲイレルル（Geirǫnul）……槍を持って進む者
ランドグリーズ（Randgríðr）……盾を壊す者
ラーズグリーズ（Ráðgríðr）……計画を壊す者
レギンレイヴ（Reginleif）……神々の残された者

ヴァルハラ宮殿ってどんなところ?

ドイツ人画家マクシミリアン・ブリュックナーが描いたヴァルハラ宮殿。一般的にヴァルハラは高い山の上にあるとされ、特にスウェーデンにはヴァルハラと名付けられた山が多いことで知られる。1896 年の作品。

ヴァルハラ宮殿は、アース神族の神々が住んでいる天上世界「アースガルズ」（➡p140）にある喜びの野「グラズヘイム」に建っている、もっとも立派な宮殿のひとつである。

この建物は槍や盾、鎧などの武具を組みあわせて作られており、540 個もの扉が据え付けられている。そしてひとつひとつの扉からは 800 人の兵士が出撃できるという。神話に書かれている数字は比喩や単なるイメージであることが多いため真に受けることはできないが、仮に数字が正しいと仮定するなら、ヴァルハラ宮殿には 800 名×540 扉で 43 万 2000 人の勇者が暮らすスペースがあることになる。最高神が率いる戦士の軍団にふさわしい数といえるだろう。

死者の魂が向かう場所

オーディンとヴァルキリーに選ばれた死者「エインヘルヤル」が向かう場所は、ヴァルハラ宮殿以外にもある。女神フレイヤ（➡p26）はエインヘルヤルの半分を受け取る権利を有しており、こうしてフレイヤのものになったエインヘルヤルたちは、フレイヤの館フォールクヴァングに集められるという。

それではエインヘルヤルに選ばれなかった死者の魂はどこに行くのだろうか？　まず、善良な奴隷や農民の魂は、雷神トール（➡p167）の館ビルスキールニルに招かれる。処女のまま死んだ者の魂が向かうのは処女神ゲヴュン（ゲフィオンの別名➡p54）の館だ。また、善良で礼節をわきまえた人間の魂は、ギムレーという天界の広間で、神々とともに永遠に幸せに暮らすという伝承もある。

海難事故で死んだ者は、海神エーギルが有する海底の館（➡p94）で暮らすことになる。このとき海の底で待っているエーギルの妻ラーンに黄金を支払えば快適な館で暮らせるが、支払わなければ暗い館に押し込められる。そして病死や老衰など、戦死という名誉を得られなかった者や、悪しき心の持ち主は、地下世界ヘルヘイムにあるエリューズニルの館で喜びのない暮らしを送るとされている。

これらの「死後の世界」の伝承は、どれもばらばらの神話に紹介されているものであり、並べてみれば相互に矛盾がある。北欧神話には体系だてられた「死者の未来」についての理論が存在しないため、このように無数の死後の世界が存在することになっているのである。

ところでヴァルキリーって結局何人いるわけ？　なんか「ヴァルキリーは 9 人いる」ってのが定説みたいだけど、8 人とか 12 人って言ってる資料もあるし、そもそもこのヴァルハラ宮だけでも 13 人いるじゃないの。

illustrated by ぴょん吉

“戦乙女”だけど癒してあげる♥

エイル

種族：ヴァルキリー、アース神族　出典：新エッダ『ギュルヴィたぶらかし』、古エッダ『スヴィプダーグの歌』

北欧神話最高の「癒しの女神」

北欧神話の原典である新エッダの『ギュルヴィたぶらかし』には、ハールという別名で正体を隠している最高神オーディンが、人間の質問に答えてアース神族の神々を紹介する場面がある。ここでオーディンは 12 人の女神を紹介してその序列をつけており、フリッグ、サーガに次ぐ 3 番目に偉大な女神としてエイルという女神をあげている。エイルは北欧の言葉“古ノルド語”で「援助、慈悲」という意味で、神話によれば彼女は、神々のなかで最良の医師なのだという。

実は『ギュルヴィたぶらかし』と同じ作者による詩の参考書、新エッダ『詩語法』には、北欧神話に登場するヴァルキリーや神の名前を暗記するための数え歌（スールルと呼ばれる）が掲載されていて、ここでエイルの名前は、女神ではなくヴァルキリーとして紹介されているのだ。つまり 26 ページで紹介したスクルドと同じように、女神でありながらヴァルキリーでもあるという二面性を持っているのである。

エイルは作られた女神か

女神としてのエイル、ヴァルキリーのエイルは『新エッダ』のみに登場する。『古エッダ』でも、『スヴィプダーグの歌』という詩にエイルという人物が 1 カ所だけ登場するが、このエイルは、物語のヒロインである「女巨人メングロズ」に仕える 9 人の従者のひとりで、あきらかに女神ではなく、ヴァルキリーにも見えない。

女巨人メングロズとそれに仕える 9 人の侍女。このなかのひとりがエイルだと思われるが、個人の特定はできない。1895 年、デンマーク人画家ローレンツ・フローリヒ画。

エイルという名前は、特定の名詞を、もってまわった表現で言い換える（例えば“死”のことを“剣の眠り”と言い換える）詩の技法「ケニング」で、“女性”の言い換えとして多用される言葉で、詩人にとっては非常になじみ深いものだ。そのため『ギュルヴィたぶらかし』にしか登場しない「女神としてのエイル」は、スノリが創作したオリジナルの神だという可能性が否定できない。

エイル様はフリッグ様の従者だという説もあるし、フレイヤ様が持っているヴァルキリーの力を誇張したものだという説もある。なにせ私もエイル様にはお会いしたことがないからな、どのような方なのか知らないのだ。

illustrated by はんぺん

7年限定のお嫁さん

エルルーン

種族：ヴァルキリー　出身：ミズガルズ　出典：古エッダ『ヴェルンドの歌』

ヴァルキリーと羽衣伝説

『天女の羽衣』という昔話をご存じだろうか。空から舞い降りた天女が、水浴びをするために湖に舞い降りるが、脱いでいた羽衣を人間の男性に奪われたせいで天に帰れなくなり、やむを得ずその男性の妻になるという話である。これは、民話学の世界で「白鳥処女説話」と呼ばれる非常にメジャーな物語形態で、日本だけでなくアジアやヨーロッパなど世界各地に同様の物語が存在するのだ。

特に北欧では、白鳥処女の正体はヴァルキリーだということになる。古エッダの『ヴェルンドの歌』は、3人のヴァルキリーが、鍛冶師の三兄弟の妻になるところから始まる物語である。

ヴァルキリー三人娘の嫁入り物語

白鳥の衣を脱いで水浴びするエルルーンたち。1893年、スウェーデン人画家ジェニー・ニストローム画。

『ヴェルンドの歌』に登場するヴァルキリーは、「エルルーン」「フラズグズ・スヴァンフヴィート」「ヘルヴォル・アルヴィト」の3人である。彼女たちはみなヴァルキリーであると同時に人間の王族の娘であり、なかでもエルルーンは、イタリアのカエサル、つまりは「古代ローマ帝国」の皇帝の娘であるらしい。

あるときエルルーンたちは、人間界の狼池《ウールヴシアール》というところに降り立ち、白鳥の衣を脱いで休みつつ、亜麻の糸で布を織っていた。ヴァルキリーにとって糸をつむぎ布を織るのは、同時に人間の運命を定めるという重要な仕事である。

そこに通りがかったのが、フィンランドの王子三兄弟であった。彼らはヴァルキリーたちを家に連れ帰り、長男のスラグヴィズがスヴァンフヴィートを、次男のエギルがエルルーンを、三男のヴェルンドがアルヴィトを妻にした。

彼女たちは7年のあいだ、彼らの妻として平穏に暮らしたが、8年目から望郷の念をつのらせるようになり、9年目のある日に、夫たちが家を離れているあいだに人間界を旅立ち、ヴァルキリーの職務に戻ったとされている。

脅迫!?　って思ったんだけど、神話に「白鳥の羽衣を身にまとい、スラグヴィズのものになった」って書いてあるし、日本のお話とちがって、衣を奪われてイヤイヤ結婚したわけじゃないみたい。よかったよかった。

illustrated by 萩原凛

食べれば子宝一撃必中！

フリョーズ

種族：ヴァルキリー、ヨトゥン？　別名：フリョド、リョッド
出典：新エッダ『ギュルヴィたぶらかし』、『ヴォルスンガ・サガ』など

出産のリンゴを届けたヴァルキリー

北欧の英雄物語のひとつ『ヴォルスンガ・サガ』は、最高神オーディンの血を引く「ヴォルスング」の一族の物語で、英雄シグルズと悲劇的な運命をたどることになるヴァルキリー「ブリュンヒルデ」（➡p22）が登場することで知られている。しかし『ヴォルスンガ・サガ』にはもうひとり、物語で重要な役割を果たすヴァルキリーが登場しているのだ。それが「フリョーズ」である。彼女は巨人「フリームニル」の娘であり、オーディンのもっともお気に入りの娘だとする資料もある。

フリョーズは『ヴォルスンガ・サガ』の物語の冒頭に登場する。それは主人公である英雄シグルズが生まれるよりもずっと前になる。

オーディンの血を引く人間の王レリルは、子宝に恵まれないのが最大の悩みだった。彼が王妃とともに神に祈ると、その願いが結婚と出産の女神であるフリッグに届く。フリッグから話を聞いたオーディンはヴァルキリーのフリョーズを呼び、レリル王のところに特別なリンゴを届けるように命じたのだ。

リンゴを受け取ったフリョーズは、大きなカラスに変身してレリル王のもとへ向かい、彼の膝の上にリンゴを落とす。このリンゴを見て神々の意図を悟った王は、リンゴの半分を自分で食べ、もう半分を妻に食べさせた。するとしばらくして、ついに王妃は妊娠したのである。しかし、子供は妊娠から 6 年たっても生まれず、レリル王は子供の出産を見る前に病死してしまった。残された王妃は、腹を切り開いて子供を体外に出す「帝王切開」での出産を決意し、なんとか子供を産むことに成功するが、危険な手術の結果、王妃もそのまま死んでしまった。

フリョーズの結婚

母親の犠牲によって生まれたこの子供は「ヴォルスング」と名付けられた。屈強な肉体と、勇敢さを持ったヴォルスングは、父のあとを継いで王となった。

この後、成人したヴォルスングのもとに、自分が生まれるきっかけとなったヴァルキリー、フリョーズがあらわれる。父フリームニルのいいつけで再び地上にあらわれたフリョーズは、ヴォルスングと結婚し、11 人もの子供をもうけている。なかでも、長男であるシグムンドと、その双子の妹シグニューは特に美しく、またシグムンドはとても優れた戦士だった。シグムンドはのちにヴォルスングのあとを継ぎ王となっている。

ヴォルスングと結婚したフリョーズは、長く幸せに過ごしたが、残念ながら、シグムンドたちを産んだあとは物語に登場していない。

英雄シグルズへ続く、ヴォルスング一族の物語

ヴォルスングの屋敷で、木に剣を突き刺して抜かせるオーディン（中央）。1889年、ドイツ人画家ヨハネス・ゲルツ画。

『ヴォルスンガ・サガ』は、1260年ごろのアイスランドで書かれたとされている物語だ。シグルズをはじめとしたヴォルスングたちの一族の話は、『古エッダ』に収められた『レギンの歌』『シグルドリーヴァの歌』『フンディング殺しのヘルギの歌』など複数あるが、どれも断片的で、話の欠けてしまっている部分も少なくない。そのため、ひとつながりの物語として書かれた『ヴォルスンガ・サガ』は、ヴォルスングの一族について知るうえで、重要な物語なのである。

ここではフリョーズの夫ヴォルスングの子であり、ヴァルキリー「ブリュンヒルデ」の恋人シグルズの父親であるシグムンドについて簡単に紹介しよう。シグムンドは、父ヴォルスングを殺害したシゲイルという王を倒して復讐を果たすと、かつて父の館にある巨木にオーディンが突き刺したという剣を武器に活躍する。だが突然、戦場にあらわれたオーディンの槍によってこの剣は折られてしまい、シグムンドは命を落とす。その息子シグルドを主人公とした物語『ヴォルスンガ・サガ』は、こういった背景から始まる物語なのである。

ヴォルスング家とヴァルキリー

ヴォルスングは、フリョーズのリンゴのおかげで生まれ、彼女と結婚するなど、ヴァルキリーのおかげで繁栄を手に入れたともいえる人物だ。実は、彼らヴォルスングの一族は、これ以降も何度かヴァルキリーと深くかかわっている。

実は、ブリュンヒルデと悲しい恋物語を展開する英雄「シグルズ」や、転生を繰り返し、そのたびにシグルーン（➡p46）と恋仲となったヘルギは、フリョーズが産んだ子供たちの長男、シグムンドの息子なのだ。レリル王からすくなくとも4世代にわたって、ヴォルスング家はヴァルキリーと関係していたのである。

しかし、これは当然のことなのかもしれない。最高神オーディンの血筋であるレリル王は、王であると同時に優秀な武人であったし、その息子ヴォルスングや、ヘルギ、孫のシグルズも非常に強い戦士だったからだ。北欧神話では「優秀な戦士たちは死後、オーディンの戦士エインヘルヤルとしてヴァルハラに迎えられる」とされる（➡p20）。その戦士たちを選別し、ヴァルハラへ導くのはヴァルキリーの役目だ。優秀な戦士の血筋であるヴォルスング一族とヴァルキリーの縁は、神話の構造的にも分かつことができないものなのである。

名著普及会の『北欧の神話伝説II』だと、レリル王にリンゴをもってったのはフリョーズじゃなくて、女神のグナーさんってことになってるわね。戦死者の導き手であるヴァルキリーが出産の手助けをするより「らしい」気がするわ。

illustrated by 望月朔

運命の恋人は３度出会う

シグルーン

種族：ヴァルキリー　別名：スヴァーヴァ、カーラ
出典：古エッダ『ヒョルヴァルズの子ヘルギの歌』『フンディング殺しのヘルギの歌Ⅰ・Ⅱ』

3人のヴァルキリーに転生したヒロイン

ヴァルキリーは運命の女神である。人間の戦場に介入して戦闘の結果を決め、どの戦士が命を落としてヴァルハラに運ばれるかを定めるのだ。しかしヴァルキリー自身もまた、運命と無縁ではいられない。このページで紹介するヴァルキリー「シグルーン」は、転生によって３回ヴァルキリーとして生まれ、そのたびに悲恋を経験した悲劇のヒロインである。

シグルーンとは、彼女が２回目にヴァルキリーとして生まれたときの名前である。はじめて北欧神話に登場する彼女は「スヴァーヴァ」という名前だった。次にスヴァーヴァは「シグルーン」に転生、最後に「カーラ」という名前で転生した。

スヴァーヴァと恋仲になったのは、物語の主人公である人間の勇者ヘルギである。彼もスヴァーヴァの死と前後して転生するが、彼の名前は毎回「ヘルギ」で変わらない。ヘルギは転生するたびにスヴァーヴァの転生体であるヴァルキリーとめぐりあい、恋に落ち、そして引き裂かれるのだ。

転生前:スヴァーヴァとヘルギの物語

勇者とヴァルキリーの永遠の恋は、古エッダの物語『ヒョルヴァルズの子ヘルギの歌』で幕を開ける。

この物語のヒロインであるスヴァーヴァは、エイリミという王の娘で、同時にヴァルキリーでもあった。主人公のヘルギは、ノルウェー王ヒョルヴァルズの息子だったが、生まれつき言葉を話せなかったため、名前すら与えられていなかった。

物語は、スヴァーヴァを筆頭にした９人のヴァルキリーがやってきて、ヘルギに名前を与えるところから始まる。するとヘルギはただちに言葉を話せるようになった。そしてスヴァーヴァは彼にふさわしい名剣のありかを教え、その後はしばしば戦場でヘルギのことを守ったのだ。自分の祖父の仇を討ったことで名をあげたヘルギは王となり、エイリミ王に願い出て、その娘であるヴァルキリーのスヴァーヴァと結婚。ふたりは深く愛しあう関係になった。

しかしふたりの幸せは長く続かない。ヘルギは他国の王に挑まれた決闘を受けたが、戦いのあとに命を落とすことを直感していた。ヘルギは胸を突き刺される致命傷を負い、死の淵で妻スヴァーヴァに「自分のかわりに弟のヘジンを愛してほしい」と願ったが、スヴァーヴァは「ヘルギ以外の腕に抱かれるつもりはない」とこれを拒否。ヘルギは最愛の妻にキスされながら息を引き取ったとされている。

illustrated by みよしの

転生後:シグルーンとヘルギの物語、それから

自分を望まぬ婚約から解放してくれる者を求めて、ヘルギと出会ったシグルーン。1901年、ドイツ人画家ヨハネス・ゲルツ画。

最初のヘルギの戦死後、ヘルギとスヴァーヴァのはそれぞれ次の生命に生まれ変わり、ふたたび巡り会うことになる。その物語は古エッダ『フンディング殺しのヘルギの歌I・II』という、2種類の詩として紹介されている。

本作のヒロインは、ヘグニ王の娘であるヴァルキリー「シグルーン」である。一方、主人公のヘルギはイルフィングという一族に生まれた最大の英雄であった。ヘルギは生まれながらに偉大な王になることを予言されており、期待されていなかった前世とは正反対の立場にある。そして前世ではスヴァーヴァに助けられて英雄になった彼が、こんどはシグルーンを助けることになるのだ。

一族の敵であるヴァイキング王「フンディング」とその一族を殺して雪辱をはらしたヘルギは、遠征の帰りにシグルーンと出会う。彼女は、望まぬ結婚から救い出してくれる勇者を求め、空や海上を駆け回ってヘルギを探していたのだ。ふたりはひと目で好意を持ち、ヘルギはシグルーンの望みを叶えることを誓った。彼は一族郎党を率い、「ヴァルキリー」シグルーンの支援を受けて、シグルーンの父親の一族や、婚約者ヘズブロッドの一族に戦いを挑み、シグルーンの弟ダグを除く全員を殺してしまう。望まぬ婚約から解放されたシグルーンは、ヘルギと結婚するのである。

本ページの冒頭でも説明したとおり、古エッダにはヘルギとシグルーンの人生を描いた詩が2種類あり、ここからの結末が大きく変わっている。“I”のほうの物語では、物語はヘルギとシグルーンの結婚で終わるのだが、“II”ではその後の悲劇が描かれている。シグルーンの弟ダグは、一族の男を殺したヘルギのことを許していなかったのだ。ダグは生け贄を捧げて、最高神オーディンの武器「グングニル」を借り受け、これでヘルギを殺してしまうのだ。

“II”の物語では、シグルーンの前に、一度だけ死せるヘルギがあらわれる。ヘルギはヴァルハラに向かう前にシグルーンと最後の抱擁を交わして去っていった。地上に残されたシグルーンは、悲しみのあまり短命だったという。

ヘルギとシグルーンは、その後、勇者ヘルギとヴァルキリー“カーラ”に転生したとされるが、ふたりの物語『カーラの歌』はすでに失われており、今では「カーラは白鳥に変身し、魔法の歌で敵をしびれさせて戦いを支援したが、ヘルギが高く振り上げすぎた剣でカーラの足を切って殺してしまう。ヘルギ自身も頭部に攻撃を受けて戦死した」というあらすじだけが現代に残されている。

シグルーンさんのお話には、ヘルギさんが死んじゃったあとに、シグルーンさんも一緒のお墓に入って後を追うバージョンもあるんだって。ロマンチックだけど切ないって気がするよ……。

オーロラとヴァルキリー

わぁ、すごいみごとなオーロラじゃない！
そうね、私とブリュンヒルデのやつの次くらいに立派なオーロラね！

スクルド、上司には「様」か「さん」をつけなさい。
今日はたしかエルルーンたちのチームが当番だったな。相も変わらずみごとな輝きだ。見習うべきだな。

？　なんでオーロラと、スクルド様やエルルーン先輩が関係あるの？
エルルーンって、ヴァルキリーのエルルーン先輩のことだよね？

なんだ、お前たち知らなかったのか？　天空にオーロラが輝くのは、われわれヴァルキリーの鎧のきらめきが、空に映ったものなのだぞ。美しいオーロラを作れるよう、普段からピカピカに磨いておきなさい。

ノルウェー北部の都市トロムソーで撮影されたオーロラ。北極や南極から少し遠い場所で観測されるオーロラは、上部が血のように赤くなることがある。
撮影者：Frank Olsen

　オーロラとは、北極や南極の近くで見られる発光現象である。その原理は極論すれば蛍光灯と同じで、太陽から放出された「太陽風」と呼ばれる粒子が、地球の磁場に引っ張られ、地球に向かって急速に降りてくるときに、大気中の粒子とぶつかって発光するというものだ。

　北欧では古来から、オーロラとは夜の空を駆けるワルキューレの鎧のきらめきだと解釈されてきた。ちなみに北欧では、しばしばオーロラの上部が赤く光ることがあり、これはヴァルキリーが運ぶ戦死者の血が空に流れ出たせいだと考えられている。

“ヴァルキリーの馬”とは？

　かつて北欧では、ある存在の言い換えとして「ヴァルキリーの馬」という言い換え表現が使われることがあった。この「ヴァルキリーの馬」の正体は何かというと、野生の狼である。

　最初に説明したとおり、ヴァルキリーは戦死者の魂を集めるために、戦場にあらわれる女神である。しかし実際の戦場では、戦いに倒れた死体が積み重なる戦場跡には、死体の肉を食べることを狙って、多数の狼が集まってくるのだ。

　そこで北欧の人々は、激しい戦場をかぎつけて集まってくる狼たちを、ヴァルキリーの馬と呼んで恐れるようになったのである。余談だが古エッダに登場するヴァルキリーのなかには、実際に狼に乗って戦場にあらわれた者もいる。

仲良しワルキューレ９姉妹

『ニーベルンゲンの指環』のワルキューレ

種族：ヴァルキリー　出典：オペラ『ニーベルンゲンの指環』（著：リヒャルト・ワーグナー）

ブリュンヒルデと美しき9姉妹

23 ページでも紹介したとおり、オペラ『ニーベルンゲンの指環』は、作曲家リヒャルト・ワーグナーが、北欧神話と同じ源流を持つドイツの英雄物語『ニーベルゲンの歌』を題材につくりあげられた作品だ。

なかでも４部構成の第２部にあたる『ワルキューレ』では、ヴァルキリー「ブリュンヒルデ」の同僚として８人のヴァルキリー（本作はドイツ生まれのため、作中ではドイツ語読みのワルキューレと呼ばれる）が登場する。その名前と、名前の意味は以下のとおりだ。

ヘルムヴィーゲ（Helmwige）……兜のゆりかご
オルトリンデ（Ortlinde）……剣の切っ先の乙女
ゲールヒルデ（Gerhilde）……槍の戦い
ヴァルトラウテ（Waltraute）……戦場の勇気
ジークルーネ（Siegrune）……勝利のルーン
ロスヴァイセ（Rossweißse）……白き馬の乙女
グリムゲルデ（Grimgerde）……仮面の守護者
シュヴェルトライテ（Schwertleite）……剣の支配者

彼女たちは主神ヴォーダン（オーディンのドイツ語読み）が、大地と知恵の女神エールダとの間にもうけた９人姉妹である。長女がブリュンヒルデということはわかっているが、それ以外の序列は定かではない。

彼女たちはヴォーダンの命令に従って馬にまたがり、地上に降りては英雄たちの魂を刈り取って、父親の元へ連れていくのが仕事だ。しかしその仕事ぶりは「厳格な戦乙女」というにはほど遠い。彼女たちが勢ぞろいする第３幕第１場では、仕事を終えたヴァルキリー姉妹が、馬の鞍《くら》に戦死者をくくりつけたまま集結する場面で、年ごろの女の子のように声を上げてはしゃぐ姿が描かれている。

「ワルキューレの騎行」と命名されたイラスト。このタイトルはオペラでヴァルキリーたちの登場シーンに演奏された同名の曲からとられている。1910年、イギリス人画家アーサー・ラッカム画。

ただし、姉妹の楽しい暮らしはすぐに引

illustrated by 9時

き裂かれてしまう。このときブリュンヒルデは、ヴォーダンの命令にそむいて、死すべき運命にあった勇者に勝利を与えてしまっていたからだ。

彼女たちがいる岩山に、ヴォーダンの怒りを体現する雷が近づいてくると、ブリュンヒルデは妹たちに助けを求めるが、彼女たちは父親を恐れて消極的な態度をとる。だが、ヴォーダンが姿をあらわしてブリュンヒルデを問い詰めると一致団結し、彼女を自分たちの背中に隠して守り通そうとした。その献身もむなしくヴォーダンはブリュンヒルデに罰を与えるが、妹たちはそんな姉に同情し、同じ刑罰を自分たちにも与えてくれと懇願する。しかし、その願いが叶うことはなかった。

9姉妹たちのその後

ブリュンヒルデを除く８人のワルキューレたちの登場シーンは非常に少なく、個々の情報を知ることは難しい。

数少ない登場シーンの中で印象深いのが、運んでいる英雄の魂のせいで馬どうしが激突するというエピソードだ。オルトリンデは葦毛の雌馬、ヘルムヴィーゲは鹿毛の雄馬を愛馬としており、それぞれの馬に魂を乗せて並走しながら帰還したのだが、ふたりが連れていた英雄が敵どうしだったため、その敵意がおたがいの馬に伝わり、馬どうしが喧嘩をはじめてしまうのだ。それを見ていたほかのヴァルキリーたちは、姉妹の失敗を微笑ましく見守りつつ、笑い声をあげている。

また、４部構成の最後にあたる「神々の黄昏」の第１幕３場ではヴァルトラウテが再登場し、ブリュンヒルデと感動の再会を果たす。彼女はブリュンヒルデが罰を受けた後、神々の世界がふさぎ込んだように暗くなってしまったことと、世界にかけられた呪いを解くためには、ブリュンヒルデが持つ指輪をラインの乙女（ドイツのライン川に住む妖精）の元に返す必要があることを伝えるために、ひとり抜け出して姉に会いに来たのだ。

だが、ブリュンヒルデは愛する人の形見である指輪を手放すことに難色を示す。ヴァルトラウテは仲の良かったはずの姉を「神々の災難」だと罵るのだった。その言葉どおり、のちにブリュンヒルデは神々を滅ぼす原因となってしまう。

傑作オペラ『ニーベルンゲンの指環』とは

『ニーベルンゲンの指環』は26年もの歳月を要して作られた長大なオペラで、上演時間は合計15時間にも及ぶ。そのため１日で一気に上演するのではなく、４日に分けるのが基本となっている。ちなみにヴァルキリーたちが初めて登場する第２部『ヴァルキューレ』の第３幕１場の冒頭では、「ワルキューレの騎行」という曲が演奏される。この曲はヴァルキリーたちの行進をイメージさせる傑作で、そのメロディは『ニーベルンゲンの指環』を知らない人でもかならず聞いたことがあるほど有名だ。

日本だと『ニーベルンゲンの指環』は、１年目に第一幕、２年目に第２幕って感じで、４年かけて上演されることが多いんだって。次のお話しまでそんなに待たされたら、待ち遠しすぎておかしくなっちゃいそうだよー。

アース神族

Ásynjur

北欧神話の主人公は、
天上世界アースガルズに住む神の一族「アース神族」です。
最高神オーディンに率いられた彼らは
男性中心の社会を構築していますが、
その裏側で多くの女神たちが
重要な役目を与えられています。

illustrated by しかげなぎ

この土地ぜんぶ頂戴します

ゲフィオン

種族：アース神族　別名：ゲヴュン、ゲヴィオン、ゲヴィウン
出典：古エッダ『ロキの口論』、新エッダ『ギュルヴィたぶらかし』、『ユングリング家のサガ』

土地を「物理的に」強奪した女神

ドイツの北に位置する半島国家デンマーク。だがデンマークの首都コペンハーゲンは、ヨーロッパ本土とつながっている半島部ではなく、そのすぐ東にある「シェラン島」にある。実はこの島は、ゲフィオンという女神が、他国から奪い取ってきた土で作られたものだといわれているのだ。

シェラン島北部の都市ヒレレズにある、フレデリクスリボー城に描かれたゲフィオンの壁画。

新エッダ『ギュルヴィたぶらかし』によれば、北欧の国スウェーデンの伝説上の王ギュルヴィは、自分をもてなした旅の女に「４頭の牛が一昼夜耕した分の土地を与える」と約束した。ところがこの旅の女の正体は、ただの人間ではなく女神ゲフィオンであり、彼女ははるか北にある地ヨトゥンヘイムから、自分が産んだ４人の巨人を呼び寄せた。ゲフィオンは魔法を使って息子たちを牛に変え、すさまじい広さの土地をたがやすと、その土地を息子たちに引っ張らせて移動させ始めたのだ。

ゲフィオンが大量の土地を奪ったために、スウェーデンの南東部には巨大な湖が生まれ、そこは現在メーラレン湖と呼ばれている。そして運び出された土はデンマークの海上の島「シェラン島」となった。ヨーロッパの王家の歴史神話『ユングリング家のサガ』によれば、ゲフィオンはここでオーディンの息子スキョルドの妻となり、デンマーク王家の祖となったという。

子供がいるのになぜか処女神

新エッダ『ギュルヴィたぶらかし』によれば、ゲフィオンはアース神族の女神のなかで４番目に偉大な女神であり、処女神であるとされている。彼女は同時に処女の守護者であり、処女のまま死んだ女性は彼女の従者となるのだそうだ。

しかし彼女はスウェーデンの土地を奪った際、自分が産んだ子供を呼び寄せていることから、この時点ですでに処女でないことはあきらかである。なぜ彼女が、彼女に子供がいるとする文献で同時に処女神ともされるのか、その理由は不明だ。

シェラン島にあるデンマークの首都、コペンハーゲンの広場に、ゲフィオン様をモデルにしたでっかい噴水があったよ！　島を作った女神様ってことで、今でもかなり人気があるんだってさー。

illustrated by ぱるたる

世界も未来もお見通し！

フリッグ

神族：アース神族　別名：フリッガ　居住地：フェンサリル（海の宮殿）　出典：『古エッダ』

未来を知るアース神の女王

糸つむぎをするフリッグ。大気と運命の女神であるフリッグは、雲から運命の糸をつむぎ出し、これを使って人間ひとりひとりの運命「ウィルド」を編み上げているという。1909年、イギリス人画家J.C.ドルマンの作品。

北欧神話の最高神オーディンには複数の妻がいるが、そのなかで正妻という待遇を受けているのはフリッグという女神だ。彼女は人間たちが住む世界「ミズガルズ」の大地を守護するほか、大気、出産、機織り、子供への名付けの神であり、未来を見通す予知能力を身につけた運命の女神でもある。『新エッダ』の作者である13世紀の詩人スノリ・ステュルルソンは、このフリッグを、北欧神話でもっとも偉大な女神だと位置づけている。

フリッグは神々の天上世界に「フェンサリル（海の宮殿）」という豪華な宮殿を持ち、3人の侍女を従えている（➡p60、62）が、そのほかにも「フリズスキャールヴ」という玉座に座るという特権を与えられている。この玉座はオーディンの宮殿ヴァラスキャールヴにあり、座れば世界のすべてを見通すことができるという魔法の椅子である。この玉座に座ることが許されているのは、オーディンとフリッグだけなのである。この玉座に加えて、あらゆる未来を知ることができるというフリッグ独自の能力をあわせると、現在から未来まで、宇宙のあらゆる場所で起きることをフリッグは把握できるということになる。ただしフリッグは非常に口が固く、予知した未来を他人にもらすことは絶対にないとされている。

夫オーディンとのスリルある夫婦関係

北欧神話の主神オーディンは、世界屈指の知恵を身につけた策略家として知られるが、その妻フリッグも、優れた知恵と未来視の能力を持つ策略家である。必然、このふたりの夫婦関係は、緊張感あふれるものとなっている。ふたりは夫婦仲が悪いわけでもないが、逆にべたべたした甘い関係でもない。おたがいの策略をくらべあい、そのもくろみを邪魔しあうという、まるで永遠のライバルどうしのような関係なのである。

例えば『古エッダ』に収録されている『グリームニルの歌』という神話では、冒頭の部分でオーディンとフリッグがおたがいの養子の悪口を言いあっている。このやりとりに腹を立てたフリッグは、策略を用いて、オーディンと、その養子であるゲイルロズの仲を引き裂いてしまった。このようにフリッグの策略は、ときとして最高神オーディンをすら上回ることがあるのだ。

だが『古エッダ』の『ヴァフズルーズニルの言葉』では、強大な巨人ヴァフズルーズニルのもとに知恵くらべに行こうとするオーディンに対し、危険だからやめるようにと引き留め、それでもオーディンが行くと言ったあとは、旅に役立つであろう助言を与えてそオーディンを祝福している。両者は決して不仲ではなく、似たものどうしゆえに張りあってしまう意地っ張りな夫婦なのである。

『グリームニルの歌』の挿絵より、玉座フリズスキャールヴに座っておたがいの養子について論戦するオーディンとフリッグ。１８９５年、デンマーク人画家ローレンツ・フローリク画。

フリッグの不倫？

『古エッダ』の神話のひとつ『ロキの口論』では、アース神族の神と女神が、宴会の席でロキに過去の行いを暴露され、かたっぱしから侮辱されるという衝撃的な物語が展開する。この物語でフリッグはロキに、ヴェーとヴィリのふたりを胸に抱いた男狂いだと非難されている。ヴェーとヴィリとはオーディンの兄弟である。

ロキの主張は事実ではあるが、男狂いという表現は適切とは言い難い。『新エッダ』の作者であるスノリ・ステュルルソンが書いた神話的歴史書『ユングリング家のサガ』には、この言い分の証拠となる事実が語られている。あるときオーディンが、自分の王国をほったらかしにして遠方に旅に出たまま長く帰還せず、兄弟であるヴェーとヴィリがその財産を相続し、妻のフリッグをふたりで共有することになったのである。しばらく後にオーディンは帰国してフリッグを取り戻したという。つまりフリッグは自発的に夫以外に体を許したわけではないのだ。

息子のために世界を駆ける

フリッグには自慢の息子がいる。それは太陽神バルドルで、あらゆる存在に愛される人気者だった。あるときバルドルが不吉な夢を見たため、バルドルの身に危険を感じた神々は、すべての者に「バルドルに危害を加えない」と約束させることを決める。フリッグは自分の足で世界中に赴き、すべての生き物どころか、金属、石、火や水などの無生物にいたるまで、万物から誓いをとりつけたのだ。

ところがフリッグは、唯一“ヤドリギの若芽”にだけは「誓いをするには幼すぎるから」という理由で誓いをさせていなかった。不幸にもバルドルは、悪神ロキの策略により、このヤドリギに貫かれて死んでしまう。

フリッグは「いかなる身代金でも払う」といってバルドルを冥界ヘルヘイムから連れ戻そうとする（➡p70）が、ロキの妨害にあって失敗し、バルドルはそのまま冥界で暮らすことになってしまった。

北欧神話の影響下にあったイギリスでは、一週間の曜日の一部に北欧の神の名前がついている。金曜日のフライデーとは「女神フリッグの日」なのだ。ちなみに水曜がオーディン様、木曜がトール様の日だな。

illustrated by 河内やまと

おつかい女神は東へ西へ

グナー

出身：アース神族　出典：新エッダ『ギュルヴィたぶらかし』

名馬にまたがり世界を駆ける

最高神オーディンの正妻として、すべての女神のなかでもっとも高い権威を持つフリッグには、当然ながら複数の女神が侍女《じじょ》として仕えている。新エッダ『ギュルヴィたぶらかし』のなかで、女神のなかで14番目に偉いとされている「グナー」もそのひとりである。

グナーの役割は、女神フリッグの使者として、世界を縦横無尽に飛び回ることである。なぜなら彼女は、地上だけでなく空や海を自由に走り回ることができる特別な馬「ホーヴヴァルプニル」の乗り手だからだ。出典不明の古い神話には、ヴァン神族の神々が空を走っているグナーとホーヴヴァルプニルを見て「あの空を飛ぶものはなんだ」と驚いたという記述が残っている。

主人のフリッグから指示を受けるグナー（右）とホーヴヴァルプニル（右奥）。ヴァルキリーのように武装した姿で描かれている。1882年、ドイツ人画家カール・エミール・デプラー画。

ちなみに、この物語でグナー自身が語るところによれば、彼女の愛馬ホーヴヴァルプニルの両親は「ハムスケルピル」と「ガルズローヴァ」という馬だというが、神話にはこの名前の意味も、馬の特徴も記されていない。

北欧神話と馬

北欧神話は、ほかの地域の神話とくらべて名前のある馬が非常に多い。最高神オーディンは8本足の馬スレイプニルを所有しており、ヴァルキリーたちもみな空飛ぶ馬に乗って戦場にあらわれる。太陽や月、昼と夜も名前のある馬が引く馬車に運ばれている（➡p96、98）など、例を挙げればきりがないほどだ。

馬にまつわるおもしろい神話もある。神々は、ある巨人が「スヴァルジルファリ」という力持ちの馬を使って進める工事を妨害したいと考えた。知恵者の男神ロキは、メス馬に変身して馬を誘惑するという荒技で、馬を現場から離して工事を失敗させた。このときロキは妊娠し、8本足の馬スレイプニル（➡p174）を産んでいる。

グナー様の名前にちなんで、「高く駆ける者」のことを「グネーヴァル」って呼ぶらしいんだけど……高く駆ける者って現実世界にはいないような？　こんな言葉いつ使うの？　って気がするよー！

illustrated by 内有一馬

我ら女神のエージェント

フッラ & フリーン

種族：アース神族　フッラの別名：フォラ
出典：新エッダ『ギュルヴィたぶらかし』、古エッダ『グリームニルの歌』呪文書『メルゼブルクの呪文』

策士フリッグを知恵で支える侍女たち

フリッグにかしづくフッラ。手に持つ箱は小箱と解釈されている。1865 年、ドイツ人イラストレーター、ルートヴィヒ・ピーチ画。

60 ページではオーディンの正妻フリッグの侍女《じじょ》としてグナーを紹介したが、実はフリッグの侍女のなかには彼女よりも高い地位を持つ女神がふたりいる。新エッダ『ギュルヴィたぶらかし』において、すべての女神のなかで 5 番目に偉いとされる女神フッラと、12 番目に偉い女神フリーンである。

フッラは処女の女神で、長い髪を垂らし、それを黄金のヘアバンドでまとめている。彼女の役目はフリッグの衣類を納めた箱や、履《は》き物を管理することだが、もうひとつ「フリッグの秘密の策略をともに実行する」という、外交官やスパイのような役割がある。古エッダ『グリームニルの歌』の冒頭では、フリッグが夫オーディンに自分の養子をけなされた仕返しに、オーディンの養子ゲイルロズ王のところにフッラを派遣して「これから来る魔法使いにだまされないよう気をつけろ」と入れ知恵を行った。その結果、人間に化けてゲイルロズ王に会いに行ったオーディンは、ゲイルロズ王に冷たくあしらわれ、大いに面目を潰してしまった。

フリーンは、フリッグが人間を助けたいと願ったときに、その弁護役をつとめる女神である。新エッダ『ギュルヴィたぶらかし』によれば、北欧では自分の身を守ること、ピンチを脱することを、彼女の名前から「フレイニル」と呼ぶという。

魔法の呪文に登場するフッラ

1841 年、ドイツ東部の都市メルゼブルクで、現存している北欧神話の物語より 300 年以上前に成立した、ゲルマン民族のまじないの呪文『メルゼブルクの呪文』が発見された。この呪文は、フッラを含む 4 名の女神が、脱臼してしまった馬の足を治すために歌を歌い、オーディンが魔法でこれを癒したという内容で、最後に「血液、骨、肉がもとどおりにくっつくように」という内容の呪文を唱えている。北欧の女神には珍しいことではないが、フッラは魔法の力も備えていたようだ。

『古エッダ』だと、フリーンっていう名前はフリッグ様の別名として使われてるのよね。フリーン様って神話でもあんまり活躍していないし、もしかしてフリーン様が独立した女神なのって、『新エッダ』の創作かもしれないわ。

illustrated by WZK

1 個食べればプルプルお肌

イズン

神族：アース神族　別名：イドゥン、イドゥンノル、イドゥナ　出典：『古エッダ』など

永遠の若さを管理する女神

黄金のリンゴを神々に与えるイズン。20 世紀初頭のイギリス人画家、J.P. ペンローズの作品。

イズンは、北欧神話の主人公であるアース神族にとって、もっとも重要な宝物を管理している女神だ。その宝とは、神々の若さと寿命を保つ黄金色の果実「常若《とこわか》のリンゴ」である。北欧神話の神々は不老不死ではないので、継続的に「常若のリンゴ」を食べないと、年老いて死んでしまうのだ。

このリンゴが実る木は、ノルニルという三姉妹の神（➡p30）に見張られて育ち、収穫されたリンゴはイズンが持つ箱の中に保管され、必要に応じて神々に与えられる。そのため彼女は「不死の女神」という称号で呼ばれることもある。

このように重要な役目を持つイズンだが、詩の神ブラギの妻となる前の経歴が不明なため、イズンの出身神族についてさまざまな推測がされている。最大のヒントとなるのは、北欧神話の原典のひとつ『ロキの口論』だ。

この物語では、北欧神話の悪役であるロキが神々の悪口を言い続けるのだが、ロキはイズンに対して「自分の兄を殺した者と寝た」と言って、彼女の夫である詩の神ブラギが、イズンの兄を殺したことを指摘している。つまりイズンは、アース神族と敵対していたことのあるヴァン神族や巨人族の生まれかもしれないのだ。

狙われた「常若のリンゴ」

「常若のリンゴ」は、神々以外にとっても魅力的な宝だ。北欧神話の物語『巨人にさらわれたイズン』には、このリンゴが巨人たちに奪われたときの混乱がくわしく説明されている。あるとき、イズンは悪神ロキに手引きされた巨人スィアチに、リンゴをおさめた箱ごと誘拐されてしまう。するとリンゴを食べられない神々は、だんだんと年をとり、髪の毛が白くなってしまった。そこで神々は、誘拐を手引きしたロキに責任をとらせるべく、彼にイズン奪還の使命を与えた。ロキはスィアチの館からイズンをさらい返して、無事に責務を果たしている。

イズン様ってば、世界からおっこちて、世界の底にあるニヴルヘイムって世界まで行っちゃったことがあるんだって。もっと自分を大事にしてくださいよ、死んじゃったら困るの自分だけじゃないんだからさー！

illustrated by B.tarou

河音を肴に一献どうぞ

サーガ

神族：アース神族　居住地：セックヴァベック
出典：古エッダ『グリームニルの言葉』、新エッダ『ギュルヴィたぶらかし』

詩を愛する偉大な女神

北欧神話の女神サーガは、伝承と知識、そして詩の女神だ。そもそも彼女の名前である「サーガ」とは、北欧で「英雄物語」を意味する。彼女はすべての女神のなかで、オーディンの正妻フリッグに次ぐ偉大な女神だという。

杯を手にオーディンと語らうサーガ。1895 年、デンマーク人画家ローレンツ・フローリヒ画。

サーガの住居は、神々の世界アースガルズにある、セックヴァベック（沈む床）という名前の美しい館だ。館の周囲には泉の源泉があり、冷たい水がさらさらと流れている。ここには最高神オーディンが毎日のようにおとずれ、黄金の杯でサーガと酒をくみ交わす。源泉からは水とともに詩のアイディア、過去の歴史などがとめどなく流れていて、みずからも詩人であるオーディンは、それを聞きながらゆったりと過ごすのだという。

女神サーガは実在するか?

本書で紹介した女神のなかで、サーガは指折りの「正体不明な女神」である。彼女は北欧の神話詩の一形態「スカルド詩」には盛んに登場するのだが、北欧神話の原典としてもっとも重要な資料である『古エッダ』と『新エッダ』には、それぞれ 1 カ所ずつしか登場せず、その記述量もわずか数行にすぎないのだ。

詩人たちが作ったスカルド詩の数々には、詩人たちが詩の内容をおもしろくするため独自のアレンジを加えているため、その内容は正式な神話とは言いにくい。正式な北欧神話の研究では、そもそもサーガという女神が本当にいたのかどうかさえ疑われており、ほかの女神の別名にすぎないという疑いすらあげられている。（オーディンの正妻フリッグの別名だとする説が有力である）

上で紹介したサーガの特徴も、ほとんどは 19 世紀以降に、北欧の神話を現代風に書き直した「再話」と呼ばれる作品群で生まれたものだ。

『ギュルヴィたぶらかし』に書いてあるのは、2 番目に偉いことと、「冷たい波が立ち騒ぐ」セックヴァベックに住んでることと、オーディン様と毎日黄金の杯で酒盛りすることだけ。内容ふくらみすぎって気がするよー！

illustrated by にもし

ドヴェルグ式ワンタッチ増毛法
シヴ

種族：アース神族　別名：シフ　出典：新エッダ『ギュルヴィたぶらかし』『詩語法』

自慢の金髪を刈られた女神

北欧神話の雷神トール。神々のなかでも最強と目される彼には、美しい金髪で知られる妻がいた。彼女の名前はシヴといい、その金髪によって、夫の終世の武器となる魔法のハンマー“ミョルニル”をもたらした女神なのだ。

シヴの最大の特徴は、長くて美しい金髪であり、夫のトールも彼女の美しい髪を非常に気に入っていた。一説によるとシヴの金髪は、豊かに実る穀物をあらわしているらしく、つまりシヴは作物の豊作をもたらす女神なのかもしれない。

新エッダ『詩語法』に掲載された神話によると、シヴはトラブルメイカーの神ロキに、自慢の金髪を刈られてしまったことがある。むろん、髪の毛が女の命であるのは日本に限ったことではない。激怒したトールは、ロキを今にも殺さんばかりに責め立て、ロキはやむを得ずドヴェルグの職人に、黄金を材料にしてかつらを作らせることになったのだ。このかつらは、頭に乗せれば皮膚にはりつき、通常の髪と同じように毛が伸びるすぐれもので、シヴの髪は元通りの美しさを取り戻した。

ロキが持ってきた黄金のかつらを試着するシヴ。1910年、アメリカで出版された書籍『The Gordon Readers』の挿絵より。

このときロキは、シヴのかつらのほかにグングニルという槍や、携帯可能な魔法の船を作らせていた。ロキはここで知恵を働かせ、別のドヴェルグの職人に「これよりもっとよい物が作れるか」と、職人魂をくすぐる挑発を行った。発憤した職人は、最強のハンマー「ミョルニル」を作りだし、神々の協議によってこの武器はトールのものとなったのである。

トール一家の子供たち

トールとシヴの家庭には優れた子供が非常に多い。ふたりの息子モーディは、ラグナロクを生き残り、腹違いの兄弟マグニとともにミョルニルを相続する。シヴの連れ子ウルはスキーと弓が得意で、決闘の守護神である。彼はノルウェー（➡p11）中部のウップランド地方ではオーディンやトール以上に人気のある神だったという。

シヴ様は穀物の神だが、夫のトール様も農業の神なのだ。雷が落ちたところでは作物がよく育つのは科学的にも証明されているし、そもそも雷は恵みの雨をともなうものだ。おふたりはお似合いの夫婦だな。

illustrated by 田阪新之助

人気者の夫を愛した妻

ナンナ

種族：アース神族　出典：古エッダ『ヒュンドラの歌』、新エッダ『ギュルヴィたぶらかし』、『デンマーク人の事績』

死してなお夫に付き添う美貌の妻

アース神族の女神ナンナは、「世界でもっとも愛された神」とされる、光の神バルドル（➡p170）の妻である。

ナンナが登場する神話は、北欧神話の世界が崩壊に向かう転換点となった重大な出来事「バルドルの死」にまつわるものである。最高神オーディンとその正妻フリッグ（➡p56）の息子バルドルは、美男子で能力も高く、世界中の万物の協力を受けて、不死身の力を与えられるほどの人気者だった。しかし、これをよく思わなかったロキの策略により、バルドルは不死の唯一の例外を突かれて殺害されてしまう。そしてバルドルの変わり果てた姿を見たナンナは、悲しみのあまり胸が張り裂けて死んでしまったのだ。神々はバルドルとナンナの遺体を、バルドルの船フリングホルニの船上に並べ、火を付けて死者の国ヘルヘイムへと送り出した。

のちに神々はバルドルを復活させようと望み、使者の神をヘルヘイムに遣わせた。使者は冥界の女王ヘルと協議したのち、ヘルヘイムで暮らすバルドルとナンナに出会っている。このときナンナは、義母のフリッグに布などの贈り物を、その従者フッラに黄金の指輪を、使者に託して送りだした。だが結局バルドル復活の計画は失敗し、これ以降の神話にはナンナの名前は登場しない。

デンマークでは人間の妻に

正統の北欧神話では、夫の死を認識しただけで悲しみのあまり死んでしまったナンナだが、デンマークの歴史書『デンマーク人の事績』では人間の女性となり、バルドルの求婚を拒絶するというまったく違った姿を見せている。

デンマークのゲヴァール王の娘として生まれたナンナは、父の養子である青年ホテルの才能に惚れ込むが、オーディンの息子バルデル（北欧のバルドルのデンマーク版）に横恋慕されてしまう。バルデルの熱心な求婚に対して、ナンナは種族の違いなどを持ち出してはぐらかすが、結局バルドルはナンナをあきらめきれず、ホテルとおたがいに軍勢を率いての海戦で決着をつけることになってしまった。バルドル軍にはオーディンやトールなど名だたる神々が参戦するものの、なんと人間のみで構成されるホテル軍が勝利。ホテルはナンナを妻に迎えて王になったという。

バルドル様は、ラグナロクで世界が滅んだあとに新しい世界に復活することが決まってるらしいけど、ナンナ様がどうなるかは書いてないのよ。ちゃんとダンナ様といっしょに復活できるんでしょうねえ？

illustrated by しばの番茶

あだ名が多い女神様

ヨルズ

種族：アース神族、ヨトゥン
出典：古エッダ『巫女の予言』『ハールバルズの歌』、新エッダ『ギュルヴィたぶらかし』『詩語法』

雷神トールを産んだオーディンの妻

最高神オーディンの妻である女神ヨルズは、巨人族の出身で、大地の化身として知られる女神である。もともとヨルズとは「大地」をあらわす一般名詞であり、これが大地の女神の名前に転用されたものだ。

大地そのものを、植物や動物に新たな命を与える「女神」だと考える神話は世界中にあるが、ヨルズには「地域限定の大地の女神」という珍しい属性が与えられている。北欧神話研究の第一人者である谷口幸男が、新エッダ『詩語法』につけた訳注によれば、ヨルズは大地のなかでも、スカンジナヴィア半島の北西側を占める国、ノルウェーの大地の化身なのだという。

日本の俳句に「枕詞《まくらことば》」というルールがあるように、北欧の詩にも「ケニング」という独特のルールがある。これは特定の単語を書く際、わざと“もってまわった”言い方をするというルールで、例えば「剣」と書くべきところを「傷つける鍬《くわ》」と書くわけだ。神々の名前にも対応するケニングがあるのだが、ヨルズは神話に登場する回数が少ないのに、以下のように非常に多くのケニングを持っている。

「ユミルの肉」「トールの母」「オーナルの娘」「オーディンの花嫁」「フリッグとリンドとグンロズのライバル」「シヴの義母」「風の館の床または底」「獣たちの海」「ノートの娘」「アウズとダグの姉妹」「大顔の花嫁」

神話にあまり登場しないヨルズが果たした重要な役割は、オーディンの妻として北欧神話最強の雷神トールを産んだことだ。トールは人間の守護者として北欧で非常に人気のある神であり、そのため詩人たちがヨルズについて語るために、多彩なケニングを必要としたと思われる。

フロージュンとフィヨルギュン

古エッダ『巫女の予言』では、トールの母親としてフロージュン、フィヨルギュンの名前が挙げられている。どちらもヨルズと同じく「大地」という意味の単語であるため、ヨルズとは名前が違うだけで同じ女神だと考えられることが多い。古エッダ『ハールバルズの歌』では、フィヨルギュンが人間の国ヴェルランドでトールを出迎え、「オーディンが住む国」まで道案内をするとされている。

フリッグ様のお父様も「フィヨルギュン」って名前なんだね。北欧の言葉だとたしかに文字が１文字違うんだけど、発音がほとんど同じだったから気づかなかったよー。

illustrated by 玉之けだま

産む機械なんてごめんです！

リンド

種族：アース神族　別名：リンダ
出典：古エッダ『バルドルの夢』、新エッダ『ギュルヴィたぶらかし』、『デンマーク人の事績』など

復讐者を産むオーディンの妻

主神オーディンには正妻フリッグをはじめとして多くの女性パートナーがいる。リンドはオーディンの愛人とも妻ともされるアース神族の女神だ。だが彼女がどのような力を持つ女神なのかは神話には解説されておらず、ただひとつ「オーディンの息子の仇討ちのために子供を産まされた」ことでその名が知られている。

森を抜けて旅立つ「名射手」ヴァーリ。1882年、ドイツ人画家カール・エミール・デプラー画。

古エッダ『バルドルの夢』によれば、息子バルドルに悪夢を見たと聞かされたオーディンは、死せる巫女の墓に予言を求めた。すると巫女はしぶしぶながら、バルドルがヘズという盲目の神に殺害されることと、オーディンとリンドのあいだに生まれる「ヴァーリ」という神が、生まれてから１日でヘズを殺害して仇を討つこと、そしてバルドルを復活させようとする神々の試みが失敗することを予言したのだ。

事態は予言のとおりに進み、リンドの産み落としたヴァーリは手も洗わず髪もとかさずに復讐に向かい、生後１日でヘズを殺害してバルドルの仇を討った。

ロシア王の娘リンダ

デンマーク王家の歴史書『デンマーク人の事績』では、彼女はリンドではなく「リンダ」と呼ばれ、ロシア王の気の強い娘として登場する。
「リンダとオーディンの子供が、殺されたオーディンの息子バルデルの復讐を遂げる」という予言を知ったオーディンは、人間に化けてロシア王の配下となり、功績をあげてリンダに求婚する。だが、リンダはオーディンの求婚を拒否しただけでなく、彼に平手打ちを喰らわせて追い払ってしまう。

めげないオーディンは３度姿を変えて王女に接近するが、どれも失敗。結局オーディンは、リンダが病気になったところを見計らって、女性の医者に化けて潜入。治療と称して彼女を陵辱してしまった。この陵辱の結果として生まれた子供“ボウ”は、予言通りバルデルの仇をを討ち取ったという。

ヘズさんを殺してバルドル様の復讐をするのが「ヴァーリ」っていう神様だって予言したのは、アングルボザっていう女巨人さんみたいなのね。この人はかなりすごい人よ、100ページで紹介してるから見てらっしゃい！

illustrated by ファルまろ

アースガルズのちびっ子アイドル!

フノス

種族:アース神族　別名:フノッサ
出典:新エッダ『ギュルヴィたぶらかし』、ヘイムスクリングラ『ユングリング家のサガ』

北欧神話最年少の女神

北欧神話の神々は、64ページで紹介した女神イズンの「常若のリンゴ」を食べて不老の力を手に入れているため、外見から年齢を推測することはできない。ただしアース神族のなかで一番若いのは誰かという疑問には、新エッダ『ギュルヴィたぶらかし』が明確な答えを用意している。それは愛と美の女神フレイヤ（➡p26）の娘、フノスである。

フノスという名前は宝石を意味し、彼女は非常に美しい女神だとされる。そのため『ギュルヴィたぶらかし』には「美しく立派な者は、この娘の名にちなんでフノスと呼ばれる」という豆知識も紹介されている。

フノスの父親は、恋多き女神であるフレイヤの「正式な夫」であるオーズという神である。また『ユングリング家のサガ』という神話には、フノスにゲルセミという姉妹がいることが書かれており、人々は高価なものをふたりの名前で呼んだという。

ヘイムダルから万物創造の話を聞く

フノスは北欧の正式な神話ではその活躍ぶりを見ることができないが、1920年発行の少年文学『The Children of Odin』で目立った活躍を見せている。この作品はアイルランドの民話収集家にして小説家パードリック・コラムが、北欧神話を若者向けの読み物として再構成した「再話物語」というジャンルの作品である。

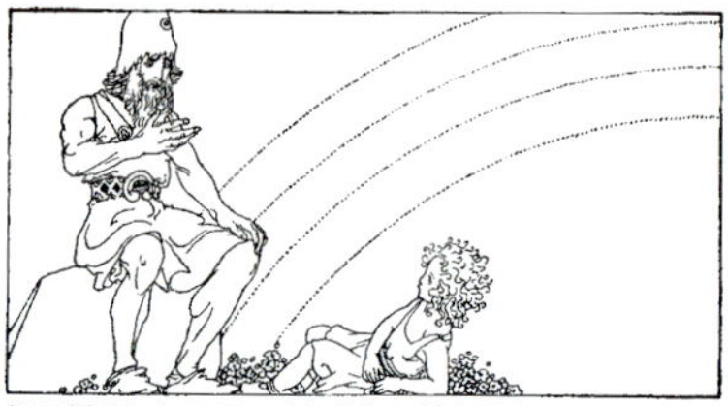

虹の橋のたもとでヘイムダルの話を聞くフノス。パードリック・コラム『The Children of Odin』の挿絵より。

フノスの父オーズは、母フレイヤの過ちのせいでアースガルズを去ってしまい、フレイヤは涙を流しながらオーズを探す旅に出る。このときフノスには「フノスが父と母を引きあわせるだろう」という予言がくだったため、彼女はアースガルズの唯一の入り口である虹の橋ビフレストのたもとに陣取って両親の帰りを待つようになった。そして彼女は、虹の橋の管理人である神ヘイムダル（➡p171）にお話しをねだり、北欧神話の物語を無数に聞かせてもらうことになるのだ。

そもそもオーズ様の正体はオーディン様という説があるし、フレイヤ様とフリッグ様はよく混同される。フノス様がオーディンと正妻フリッグの娘と考えると、皆にちやほやされる理由にも想像がつこうというものだな。

illustrated by 三嶋くろね

Loveのことなら私たちにおまかせ！

シェヴン&ロヴン&ヴァール

神族：アース神族　出典：新エッダ『ギュルヴィたぶらかし』『詩語法』、古エッダ『スリュムの歌』

男女の愛を守護する女神たち

新エッダ『ギュルヴィたぶらかし』において、16柱紹介されている女神のなかで7番目、8番目、9番目に連続で紹介されている、シェヴン、ロヴン、ヴァールの3女神は、いずれも男女の愛情や結婚に関連する役目を持つ女神たちだ。

まずシェヴンは、「男女の心を愛に向ける」ことに気を配っている、恋愛の女神である。彼女の名にちなんで、北欧では恋愛のことを「シアヴニ」と呼ぶという。

ロヴンは「禁じられた恋」を応援する女神である。神話が生きていた時代の北欧では、結婚は家と家との結びつきと考えられ、個人の恋愛感情はあまり重視されなかった。しかしロヴンは、彼女への祈りの言葉が捧げられれば、家柄の違いや家どうしの反目などが原因で結婚できない恋人たちを結びつけたり、一度は拒絶された愛の告白を受け入れてもらえるようにしてくれる。ロヴンはこの能力を行使することを、オーディンまたはフリッグから直接許可されているため、北欧ではロヴンに敬意を表して、許可することを「ロヴ」と言っている。

最後のヴァールが担当するのは結婚の「契約」の側面である。彼女は「男女のあいだでたがいに交わされる誓いや取り決め」を記憶しておき、それを破る者に罰を与えるのだ。そのため北欧では、取り決めのことを「ヴァール」と呼ぶという。

3女神の存在価値

神話が語られていた当時の北欧では、結婚とは花嫁と花婿の実家どうしが、場合によっては数年間をかけて条件面について協議しあい、証人を立てて家どうしの契約を結ぶという重大な行事だった。そのため上で紹介した3人の女神は、独自の神話こそ持たないものの、重要な女神として信仰されていたようだ。

具体的な例が古エッダ『スリュムの歌』にある。この神話は、奪われた魔法のハンマー「ミョルニル」を奪い返すため、たくましい雷神トールが女装して女神フレイヤになりすまし、花嫁として巨人スリュムとの結婚式に臨むという物語だ。この神話では北欧の結婚式が簡略化された形で描写されており、花嫁を清める効果を持つミョルニルを花嫁（トールが変装したもの）の膝の上に置いた巨人スリュムが、「ヴァールの手でふたりを清めてもらうのだ」と発言する場面が見られる。

こないだ見た結婚式では、ヴァール様だけじゃなくてフリッグ様やフレイ様にも祈りを捧げていたよ！　そういえばフリッグ様は家庭の守護神だし、フレイさんは多産の守護神だもんね。当然って気がするよー。

illustrated by 久彦

バーサーカーは北欧出身！

待遇改善の研究をしながら、ふだんのお仕事もしなくちゃいけないのがつらいところよね〜。というわけで今日はひさびさにお仕事中よ！　どいつがエインヘルヤル候補かしら？

うっわーなにあれ？　毛皮以外ほとんど全裸のマッチョたちが突っ込んで行くよ！　……あ、敵がいなくなったら同士討ちしてる。なんか目の色もおかしいし……もしかしてバーサーカー？

ほう、勉強嫌いのフィルルゥがどこでその言葉を覚えた？
しかしバーサーカーは英語読みだな。きちんと北欧の発音にしたがって、ベルセルクと呼ぶべきだろう。

狼の皮をかぶったウールヴヘジン、あるいは狼に変わったベルセルクを描いた彫刻。約 3000 年前の作品。

最高神オーディンを崇拝する人間の戦士たちのなかには、恐れを知らない最強の兵士たちがいた。彼らの名は「ベルセルク」。熊の毛皮を着る者という意味だ。

ベルセルクは、その名のとおり頭のついた熊の毛皮を羽織った姿で戦いに参戦し、戦闘が始まるとまるで犬や狼のように狂乱して敵に襲いかかる。人並み外れた腕力を発揮し、その肌は火で焼いても武器で斬りつけても傷ひとつ負わなかったと言われている。このように、ベルセルクが怒りの力を爆発させて特別な力を得た状態のことを「ベルセルクの激情」と呼んでいる。

ただしベルセルクたちには弱点もある。まずは戦闘が終わると放心状態になってしまうこと。そして、我を忘れて狂ったように戦っているときのベルセルクたちは、敵と味方の区別すらつかないことだ。

また、このベルセルクたちによく似た戦士に「ウールヴヘジン」という者もいる。彼らはベルセルクの熊の皮の代わりに狼の皮をかぶって戦う者で、ベルセルクと同様に我を忘れて獣のように戦う戦士たちである。

実在したベルセルクたち

ベルセルクは単なる神話上の存在ではなく、実社会でも存在していたと考えられている。強力な戦士として尊敬を受ける一方で、しだいに戦場以外での振る舞いも粗暴になり、無法者に近い存在に落ちてしまうという。

また、敵味方の区別がつかないという点から、陣を敷くときはほかの兵士とできるだけ離して配置された。そのため王たちもベルセルクを自分の近くに置こうとしなかったが、例外として 10 世紀に実在したノルウェー最初の統一王、美髭王ハーラルは、自分の親衛隊の一部をベルセルクで固めていたという記録が残っている。

ヴァン神族

Vanadís

ヴァン神族は、アース神族のライバルであり
同盟者でもある神の一族です。
魔法の能力に長け、全員が作物の実りと
家畜の多産を保証する「豊穣神」だといいます。
アース神族とくらべると、
固有の名前が知られている神が極端に少ないのが特徴です。

illustrated by しかげなぎ

ネルトゥス

1000年前のご先祖さま

ネルトゥス

種族：不明（ヴァン神族？）　別名：ニョルズ　出典：『ゲルマニア』（1世紀　著：タキトゥス）

北欧神話の原型からよみがえった女神

世界中に存在するさまざまな神話のなかで、北欧神話は比較的新しい時代に完成した神話だといえる。現在北欧神話の原典となっている『古エッダ』は、今から約1000年前、9～11世紀ごろに記録された神話をまとめたものだし、『新エッダ』は12世紀の作品である。ギリシャ神話はそれより1000年以上の昔から記録されており、日本の神話も北欧より200年以上前には成立していたのだ。

だが11ページでも説明したとおり、北欧神話を産んだのはゲルマン民族であり、彼らはすくなくとも現在の北欧神話が完成するより1000年以上前にはヨーロッパで活動していた。つまり古い時代のゲルマン人の信仰には、現在知られている北欧神話の原型となった、神話や神が存在していたはずなのだ。

実は、その証拠のひとつが文字で書き残されている。ゲルマン人の居住地の隣に巨大な勢力を築き、ときにゲルマン人の敵として戦い、ときに彼らを傭兵として雇い入れた「古代ローマ帝国」の歴史家タキトゥスが記した『ゲルマニア』という資料である。この資料には、ゲルマン人の土地の風土、慣習、社会制度、そして「宗教や伝承」などが解説されているのだ。そのなかで非常に大きな扱いを受けているのが「ネルトゥス」という女神である。

北欧南部のネルトゥス信仰

『ゲルマニア』のネルトゥス信仰をイメージして書かれた絵。1905年、ドイツ人画家エミール・デプラー画。

『ゲルマニア』では、現在でいうデンマーク（p11参照）とドイツの国境付近にあたる「ユトランド半島」の南部に住んでいた7つの部族を紹介し、彼らが共通して崇拝していた女神「ネルトゥス」について、くわしく記述している。『ゲルマニア』によれば、ネルトゥスは母なる大地をあらわし、平和と平穏を愛する女神である。7部族はみなネルトゥスを信仰し、彼女は実際に地上に降り立って人々のあいだを巡る旅をすると考えていた。

具体的には、ただひとり認められた司祭以外は立ち入ることを許されない海に浮かぶ小島があり、そこに女神が乗るための車が置かれている。司祭はネルトゥスが降臨したことを察知すると、聖なる車を引き出し、これをメスの牛に引かせて各地を巡り

illustrated by てるみい

はじめる。この車が通る場所はすべて祭りの場となり、人々は戦争をやめて武器をしまい、あらゆる鉄製品を女神から見えない場所に隠して敬意をあらわすのだ。のちに司祭はネルトゥスが旅に飽きたことを悟ると、女神が乗った車を湖に連れて行き、奴隷たちに洗い清めさせる。しかし女神の姿を見ることは死者にしか許されていないので、女神の清めを担当した奴隷たちは、ただちにその湖に飲まれてその命を捧げるのだという。

なお『ゲルマニア』日本語版の訳者である田中秀央氏と泉井久之助氏は、ネルトゥスの社があった小島は、現在のデンマーク領に属する島のどれかであるという説を披露している。

ネルトゥスとヴァン神ニョルズ

すでに説明したとおり、ネルトゥスは古代のゲルマン人が信仰していた女神であり、厳密には北欧神話の神ではなく、もちろんヴァン神族の一員というわけでもない。ではなぜこの女神をヴァン神族の章で紹介しているのかというと、この女神は北欧神話の男性神で、もっとも有名なヴァン神族フレイとフレイヤ（➡p26）の父親、ニョルズの前身になった神だと信じられているからだ。

ニョルズは海の神であり、風をあやつり、荒れる海を静める力を持っている。食糧を漁業に依存する北欧の人々にとって、ニョルズは海の恵みをもたらす豊かさの神なのである。彼は山に住む巨人スカジ（➡p92）との結婚生活がうまくいかず離婚し、別の女性とのあいだにフレイとフレイヤの双子をつくった。古エッダ『ロキの口論』によれば、ニョルズの妻としてふたりを産んだのは彼の妹だったという。

しかしネルトゥスとニョルズには、ひとつ見逃せない決定的な違いがある。それは性別である。なぜ女神ネルトゥスが男神ニョルズになったのだろうか？

実は北欧神話の研究者たちは、『ゲルマニア』に紹介されている女神がネルトゥスだというのは誤りで、女神は本来別の名前で呼ばれていたと考えている。そしてネルトゥスとは女神に付き従う男性司祭の名前だったというのだ。

本来、女神（ネルトゥス）のような大地の女神は、男性的神格とふたりで一組の神として信仰されるのが普通だったらしい。つまり本当は、女神（ネルトゥス）と同様に大地と平和を象徴する男神がネルトゥスと呼ばれており、男性司祭も「ネルトゥス」に近い名前で呼ばれていた。そしてネルトゥスという名前を北欧の言葉で発音するとニョルズになるというわけだ。

つまりヴァン神族の代表的神格であり、フレイとフレイヤの父である「ニョルズ」は、男女一対の神ネルトゥスの男性的部分だけを引き継いだ神だといえる。つまり広義の意味で、ネルトゥスは「ヴァン神族の遠い祖先」だという見かたもできるというわけなのだ。

ニョルズさんは、いつも海の水で足を洗われていたから、足だけすっごいきれいだったらしいわ。実はスカジさんと結婚したのはそれが理由なんだけど……なんでそんなことになったのかは、92ページで見るのよ！

アース神族とヴァン神族の正体

ヴァン神族の神様ってほんと少ないねー。
フレイ様にフレイヤ様。あとニョルズ様やグルヴェイグ様もそうだっけ。
アース神族の神様なんて、何十人じゃきかないくらいなのに。

ふむ、それはアース神族が「王族と戦士の神」で、ヴァン神族は「農民の神」だったからだな。

へぇ、そんな違いがあるんだー。
……あれ、でもそれ、神様の人数とは関係ない気がするよ?

北欧神話研究の世界では、アース神族とヴァン神族は、それぞれ別の集団に信仰されていたという説が有力になっている。

アース神族は、万物の父であるオーディンを中心とした父権社会を構築している。オーディン自身が戦争の神であることから、彼らは戦争や略奪を行う、ヴァイキングの王や戦士たちに信仰されていたと思われる。

逆にヴァン神族は、大地への信仰を中心とした神の一族で、アース神族と違って明確な指導者が存在しない。彼らはみな豊穣の神であることから、おもに裕福な農民や漁民たちに信仰されていたと考えられているのだ。

ヴァン神族の神はなぜ少ないか?

アース神族には個人名を持つ神が非常に多いのに対し、ヴァン神族の神は両手で数えられるほどしか知られていない。その原因として 2 つの説があげられる。

まずは神話が文字に書き残されるようになった 8 ～ 9 世紀以降の北欧で、アース神族の人気が高まったことだ。北欧の戦士たちは 8 世紀ごろから、船に乗ってヨーロッパ各地に略奪旅行に出るようになった。これが有名なヴァイキングである。その結果、戦いの運命を決めるオーディンとアース神族への信仰が広まっていたのだ。

ふたつめの原因は、ヴァン神族は農民の神だということだ。そもそも北欧の神話は、権力者のために文書化されたものがほとんどである。当然、文字で書き残されるのは権力者が信仰するアース神族の神話となり、農民が信仰するヴァン神族の神話や神の名前は、低い地位でアース神族に取り込まれたり(トールがオーディンの息子なのはこのせい)、文字にされずに忘れられてしまったというわけである。

つまり、歯に衣を着せない言い方で表現すると
「農民の神話なんかいちいち本にしないよ!」by 詩人、ってことね!

いくらなんでも着せなさすぎって気がするよ～!?

刺しても焼いても超元気！

グルヴェイグ

種族：ヴァン神族　出典：古エッダ『巫女の予言』

正体不明の黄金魔女

ヴァン神族の神々には、固有の名前を知られている神が極端に少ない。そのなかでおそらくその正体がヴァン神族の女神だと確実視されているのが、グルヴェイグという魔女である。彼女は北欧神話の重要な原典である古エッダ『巫女の予言』に１カ所登場するだけの人物だが、ここで非常に印象的な活躍を見せている。

槍で刺されて焼かれるグルヴェイグ。1895年の『古エッダ』解説書の挿絵より。デンマーク人画家ローレンツ・フローリヒ画。

『巫女の予言』によれば、グルヴェイグは魔法を使って人々の心をたぶらかし、みだらな娘たちを喜ばせていたという。そのため怒った神々は、最高神オーディンの館にて槍でグルヴェイグを突き、３回にわたってその身を焼いたのだが、グルヴェイグはそのたびに蘇《よみがえ》り、ついに殺すことができなかった。この事件をきっかけにして、アース神族とヴァン神族のあいだに戦争が起こったという記述があることから、グルヴェイグはヴァン神族に属する女性であると推測されているのだ。

グルヴェイグという名前には「黄金の飲み物」または「黄金の戦い」などの意味があるとされ、彼女は黄金の持つ、人を引きつけたり堕落させる魅力を人格化した存在だと考えられている。

正体は女神フレイヤか？

『新エッダ』の作者であるスノリ・ステュルルソンがまとめた北欧の王家の歴史書『ヘイムスクリングラ』では、オーディンたちアース神族に魔術を教えたのは、人質としてヴァン神族からやってきた女神フレイヤ（➡p26）だとされている。そのため一部の研究者は、アース神族の前ではじめて魔法を使ってみせたグルヴェイグの正体は、フレイヤではないかと推測している。

実際、両者には共通点が多い。グルヴェイグが黄金の魅力を擬人化した神であるということと、フレイヤが目から黄金の涙を流し、それが地面に染みこんで世界の金鉱脈になったという神話には、偶然ではすまない類似性があるのだ。

グルヴェイグさんを槍で突いたり火であぶるって神話は、金の鉱石から黄金を取り出す「精錬」の手順を説明したものらしいわ。つまりこの神話は、きれいな黄金に女の子たちの目がくらんで、悪い子になったって神話なの。

illustrated by Spiral

魔法の文字“ルーン”

グルヴェイグさんが使ったのは、ヴァン神族が得意とする「セイズ魔術」っていう魔法だけど、アース神族や人間にだって得意な魔法があるわ。それが魔法の文字を刻んで力を手に入れる「ルーン魔術」なのよ！

ルーン文字とは、北欧神話が文献にまとめられるよりもはるかに昔、1世紀ごろの北欧で開発された文字である。石や木の板に刻みやすいよう、シンプルな直線の組みあわせで作られたルーン文字は、文字ひとつひとつに特別な意味があり、物品にルーン文字を刻み込むことで魔法の加護を得られると信じられていた。

ちなみにルーン文字にはいくつもの種類がある。地域差が大きく、別の地域ではまったく違うアルファベットが使われていることも珍しくないのだ。現在広く知られているのは、最初の6文字をとって「フサルク」と呼ばれる組みあわせのルーン文字で、以下の表にある24個の文字が含まれている。

オーディンによるルーン文字の開発

北欧神話によると、ルーン文字はアース神族の最高神であるオーディンが開発したことになっている。古エッダ『オーディンの箴《しん》言《げん》』でオーディン自身が語るところによれば、オーディンは自分の体を愛槍グングニルで貫き、世界樹ユグドラシルにその身を縫い付けて、9日9晩のあいだ飲まず食わずで瞑想を続けるという荒行のすえに、ルーン文字を発明したとされている。同じく古エッダの『シグルドリーヴァの歌』では、巨人の国にある「ミーミルの泉」で、自分の片目と引き替えに知恵の水を飲んだことで得た技術だとしている。どちらの説を採用するにしても、ルーン文字はオーディンの多大な犠牲と引き替えにして、人間たちに与えられた魔法文字なのである。

「フサルク」の24文字のルーン

ᚠ	読み：フェフ 意味：家畜、財産	ᚢ	読み：ウルズ 意味：野牛	ᚦ	読み：スリサズ 意味：巨人、棘	ᚨ	読み：アンサズ 意味：神
ᚱ	読み：ライゾー 意味：乗り物	ᚲ	読み：カノ 意味：松明、船	ᚷ	読み：ゲボ 意味：贈り物	ᚹ	読み：ウニョー 意味：喜び
ᚺ	読み：ハガラズ 意味:雹(ひょう)	ᚾ	読み：ナウシズ 意味：欠乏	ᛁ	読み：イサ 意味：氷	ᛃ	読み：ジュラ 意味：夏、収穫
ᛇ	読み：エイワズ 意味：イチイの木	ᛈ	読み：ペルス 意味：不明	ᛉ	読み：アルギズ 意味：大鹿、保護	ᛊ	読み：ソウェル 意味：太陽
ᛏ	読み：テイワズ 意味：勝利の神 テュール	ᛒ	読み：ベルカナ 意味：カバの木	ᛖ	読み：エフワズ 意味：馬	ᛗ	読み：マンナズ 意味：人間
ᛚ	読み：ラグズ 意味：水	ᛜ	読み：イングズ 意味：豊穣の神 イング	ᛟ	読み：オースィラ 意味：故郷、土地	ᛞ	読み：ザガズ 意味：一日

巨人族《ヨトゥン》

Gôgjar

巨人族（ヨトゥン）は、神々と人間に敵対し、
強大な力と邪悪な精神を持つおそるべき敵役です。
ただし例外も多く、神々と友好的な巨人、
人間サイズの体格の巨人、神々に求婚される
美しい女巨人が少なくありません。

illustrated by しかげなぎ

アングルボザ

秘密の大箱、開けてみる？

シンモラ

種族：ヨトゥン（ムスッペル？）　出典：古エッダ『フィヨルスヴィズの歌』

伝説の武器を守る女

最終戦争ラグナロクにおいて豊穣神フレイを倒し、世界樹ユグドラシルを燃やし尽くすことが定められている炎巨人スルト（➡p169）には、シンモラという巨人族の妻がいるという。彼女の名前は唯一、古エッダ『フィヨルスヴィスの歌』だけに紹介されているが、登場人物による説明のなか中に名前が出ているだけで、シンモラ本人が登場して活躍する神話は存在しない。

現在では、シンモラはスルトの夫としてよりも、アース神族の神ロキが作ったという伝説的な武器「レーヴァテイン」の管理者としてより広く知られている。現代イギリスの童話作家クロスリイ・ホランドが『フィヨルスヴィスの歌』を再構成した物語によると、レーヴァテインの特徴は非常に奇妙だ。その特性はわずかにふたつだけ。「傷つける魔の杖」という異名と、世界樹ユグドラシルの一番高い枝にとまっている黄金の雄鶏”ヴィドフニル”をすみやかに殺すことができるというものだ。

シンモラはこのレーヴァテインを、９つの錠前で守られた大箱レーギャルンに入れて守っているのだという。

シンモラをめぐる矛盾

レーヴァテインという武器は、スヴィプダーグという若者が、メングラッドという花嫁をもらいに行く物語に登場する。彼が花嫁に会うには「炎の砦」の門を通らなければいけないのだが、その門は二匹の猟犬に守られ、その二匹が交互に眠るため隙がまったくなく、通ることができなかった。

知恵者の巨人（その正体はオーディンである）によれば、二匹の猟犬をやりすごして門をくぐるには、ユグドラシルの頂上に住む雄鶏ヴィドフニルの肉を投げ与えなければいけない。これを食べさせているあいだに門をくぐればいいわけだ。

ところが、ユグドラシルの頂上に住む雄鶏ヴィドフニルを狩るには、レーヴァテインを使わなければいけない。そのレーヴァテインを得るには、番人のシンモラに、賄賂としてヴィドフニルの尾羽を送らなければいけないのである。……つまり、雄鶏ヴィドフニルを狩るためには雄鶏ヴィドフニルを狩る必要があるということになり、堂々巡りの矛盾を起こしてしまうのだ。

最近では、炎巨人スルトがラグナロクで使った武器は、このレーヴァテインではないかという説がよく語られているが、神話にはその根拠となる記述はない。あくまでシンモラがスルトの夫だという事実からの想像だな。

illustrated by kirero

パパのかわりにムコよこせ！

スカジ

種族：ヨトゥン　居住地：スリュムヘイムの館　別名：スカディー、スカデ
出典：古エッダ『グリームニルの歌』、新エッダ『詩語法』など

狩りを楽しむスキーの女神

現代日本人にとっては冬の娯楽であるスキーだが、雪深い北欧の人々にとっては、生活に欠かせない乗り物である。そのため北欧神話にもスキーを得意とする神が複数登場している。巨人族の女性スカジも、“スキーの女神《オンドゥル・ディース》”という異名を持つほど巧みにスキーをあやつることで知られている。

スカジは男勝りな性格で、スキー板をはいて雪山を駆け回り、弓矢で狩りをして暮らしているとされる。スカジという名前は「傷つくる者」「破滅」「死」などの物騒な意味があるとされ、この点も北欧神話のヒロインたちとは一線を画する部分だ。ただし神話には、彼女を「麗しき花嫁」と呼ぶものもあり、性格はともかく外見は美女と呼んでよいようだ。

“足だけ”の制限で花婿選び

新エッダ『詩語法』に掲載された神話によれば、彼女は自分の父である巨人スィアチが、女神イズン（➡p64）の常若のリンゴを奪おうとして失敗し、アースガルズの神々に殺されたため、復讐のために完全武装してアースガルズに乗り込んだ。アース神族が和解と賠償をもちかけると、スカジは条件として「スカジに花婿を与えること」と「自分を笑わせること」を持ち出し、神々もそれを了解した。

足だけを見て花婿を選ぶスカジ（1901年アメリカの神話紹介本より）。スカジは一番美しい足をバルドルのものと確信するが、それはニョルズの足だった。

スカジは花婿として美男子バルドル（➡p170）を選びたかったが、神々は「神々の足だけを見て相手を決める」ことを条件とした。スカジが選んだ足の持ち主は海神ニョルズだった。ふたりは夫婦となったが、山の神であるスカジと、海の神であるニョルズの結婚はうまくいかず、結局ふたりは別れてしまったという。

スカジを笑わせるという条件は、いたずら者の神ロキが「自分の陰嚢《いんのう》（要するに金玉）とヤギのヒゲをつないで綱引きをする」という宴会芸じみた余興で達成され、無事にスカジとアース神族の和解が成立したとされている。

みんなはスキーしたことある？　スポーツ用のスキーは裏面がツルツルだけど、スカジ様みたいな生活用のスキーは、裏面に毛皮を張るんだよ。スキーがうしろにすべらないから、平らな雪道を歩くときに便利なんだー！

illustrated by 遅刻魔

網で獲られて海の底

ラーン

種族：ヨトゥン　出典：古エッダ『レギンの歌』、新エッダ『詩語法』など

海神エーギルの妻

フェロー諸島で発行された、ラーンの描かれた切手。特徴である網とともに描かれている。

北欧神話の世界には、代表的な海の神が２組いる。ひとりはヴァン神族のニョルズ（➡p84）で、港など、人間が漁業を行う近海を守護している。それに対して陸地から離れた外海は、巨人族の海神エーギルと、その妻ラーンの領域である。

ラーンは大きな網を持った姿で描かれ、この網で魚ではなく人間の船乗りたちを捕らえるとされている。一方夫のエーギルは、船に噛みついて破壊することがある。つまりこの夫婦は、外海の厳しい環境と海難事故を人格化した存在なのだ。

北欧では、このように海上で死んだ者は、ヴァルハラでも冥界ヘルヘイム（➡p156）でもなく、海底にあるエーギルの館に連れて行かれ、そこでエーギル夫妻の宴会に参加するという。もし溺死者の葬式に、死者本人の霊があらわれた場合、それは死者がラーンに暖かく受け入れられたことの証拠だと信じられていた。

北欧の船乗りたちは、船に乗るときは黄金を持って行った。もし船乗りがラーンに捕まって溺死した場合、彼女に黄金を渡せば、安らかに暮らせる館に入れてもらえるが、黄金がないと暗い館に入れられてしまうという伝承があったからだ。また、船に乗って人さらいを行う海賊たちは、捕虜の10分の1をラーンへの生け贄として海に投げ込むことで、無事に家に帰れるよう祈るという風習もあったという。

海に住む女たち

北欧の外海には、ラーンのほかにもさまざまな女性的存在がいると信じられていた。まずはエーギルとラーンの娘である「波の乙女」たち。９人組の彼女たちは、ほぼ全員が荒々しい波の様子を意味する名前を与えられており、アース神族の神ヘイムダル（➡p171）の母になったことで知られる。

海底にはウェチルトという女巨人が住んでおり、船の舳《へ》先《さき》（先頭部分）をつかんで船を進めないようにするといわれている。

そういえばロキ様が、魚に化けたドヴェルグをつかまえるために、ラーン様の網を借りたこともあったっけ。くわしく知りたい？　じゃあ古エッダの『レギンの歌』って神話を読むといいわ！

illustrated by 方天戟

狼が来たよ！　ほんとだよ！

ソール

種族：ヨトゥン？　別名：ソル、ソーウィロー、天の花嫁
出典：古エッダ『グリームニルの歌』『ヴァフズルーズニルの歌』、新エッダ『ギュルヴィたぶらかし』

太陽を引いた馬車の御者

青銅器時代（約 3000 ～ 4000 年前）に作られた「太陽の馬車」の模型。デンマーク国立博物館蔵。

極寒の地である北欧にとって、世界を暖め、作物を育てる太陽は、ほかの地域と比較しても特に重要な存在だ。その大切な太陽の運行は、ソールという、美しい金髪の娘の仕事だが、彼女は進んでこの役目に就いているわけではない。

ソールにはマーニという双子の弟がおり、ふたりの父親はムンディルファリという巨人族だった。この巨人は、子供たちが非常に美しいので、娘に太陽をあらわす「ソール」、息子に月をあらわす「マーニ」という名前を付けた。ところがこの思い上がった命名が神々の怒りを買ってしまった。ソールとマーニは神々に捕らえられ、それぞれ太陽と月が乗せられた馬車を運行する御者にされてしまった。

ソールが運ぶ太陽とは、ムスペルスヘイムという灼熱の世界で集めた火花から作られたもので、近づけば山と海も燃えるほど熱いものだ。その熱を遮《さえぎ》るため、太陽と馬車の間にはスヴェルという輝く盾が置かれている。これだけでも厳しい仕事なのだが、太陽の運行にはほかにも大きな障害がある。太陽は、天空を駆ける狼「スコル」に常に狙われており、ソールはこの狼から逃げ続けなければいけない。太陽が何かに追われるように一方向に動くのはこのためである。もしソールがスコルに追いつかれると、太陽が見えなくなる現象「日食」が起こると考えられていた。

世界崩壊後の新たな太陽

最終戦争「ラグナロク」では、ソールと太陽はスコルに飲み込まれる運命にある。だがラグナロクが終わると世界は再生をはじめ、死んだ母に代わってソールの娘が新しい太陽の馬車の御者をつとめ、ふたたび太陽が動き出すと予言されている。しかも新しい太陽は完璧な太陽で、前のように大地を焼くこともない。新世界にふさわしい太陽なのである。

ラグナロクではマーニお兄さんの月の馬車も、ハティっていう狼に追いつかれて食べられちゃうんだけど、そのあと月がどうなるか神話には書いてないんだよー。太陽ばっかりくわしく書いて、不公平って気がするよ～！

illustrated by 皐月メイ

お空を夜闇に染めましょう
ノート

種族：ヨトゥン　出典：古エッダ『ヴァフズルーズニルの言葉』、新エッダ『ギュルヴィたぶらかし』

霜の名馬で夜を運ぶ女神

フリームファクシに乗って夜を運ぶノート。19世紀ノルウェーの画家、ペーテル・ニコライ・アルボの作品。

96ページでは、太陽と月を運ぶ御者としてソールとマーニを紹介したが、北欧神話ではこれと平行して、昼と夜も馬車によって運ばれることになっている。馬車の御者をつとめるのは、夜の馬車がノートという女巨人で、昼の馬車はノートの息子ダグである。ふたりの名前は、北欧の言葉で夜と昼を意味している。

ノートは巨人の国ヨトゥンヘイムで生まれた巨人族の娘であり、生まれつき髪の色も肌の色も黒っぽかったという。そして息子のダグはアース神族の男デリングとのあいだに生まれた子供で、父に似て明るく美しかった。アース神族の最高神オーディンはこのふたりを呼び出し、馬と馬車を与えて昼夜の運行を任せたのだ。

昼夜の運行には、太陽と月の運行とは違ったルールが存在する。彼女たちは1日に2回、12時間おきに出発して天をひと巡りする。太陽や月と違って、うしろから追いかけてくる狼は存在しないのだ。

ノートがあやつる馬の名前は「フリームファクシ（霜のたてがみ）」という。その名のとおり、たてがみにびっしりと霜がついた馬で、馬に噛ませる馬具「馬銜」には毎日唾液がしたたり、それが天空を駆けるたびに大地に落ちる。北欧の人々は、朝露の正体はフリームファクシからしたたった唾液だと考えていた。

恋多き夜の女神

ノートは昼の御者であるダグを産むまでに、最後の夫であるデリングを含めて3人の男性と結婚した恋多き女神である。彼女の最初の夫はナグルファルといい、彼とのあいだに「アウス（富）」という息子を産んだ。ふたりめの夫はアンナルといい、彼とのあいだには大地の女神ヨルズ（➡p72）が産まれたという。

ヨルズの親についてはほかにも有力な説があるため確実ではないが、これが正しいならノートはヨルズの息子、雷神トールの祖母ということになる。

ノート様の息子のダグ君の馬「スキンファクシ」の名前は、“光のたてがみ”って意味らしいわ。お昼間が明るいのは、たてがみが光ってるからだそうよ。そういえばお昼間って、雲で太陽が見えなくても明るくなるものね。

illustrated by Garuku

元気な怪物、産みました
アングルボザ

種族：ヨトゥン　別名：アングルボダ　出典：新エッダ『ギュルヴィたぶらかし』など

異形の怪物たちを産んだ女巨人

18 ページでも紹介した、北欧神話の最終戦争「ラグナロク」では、巨人族やモンスターが大暴れし、多くの神が命を落とすことになっている。なかでも最高神オーディンを喰い殺す巨大狼フェンリル（➡p175）、雷神トールと相討ちになる大蛇ヨルムンガンド（➡p177）、巨人の軍勢に軍船ナグルファルを与えた冥界女王ヘル（➡p116）などが大きな被害をもたらしている。実はここにあげた 3 体の怪物および女神は、すべてアングルボザという、ひとりの女巨人が産み落とした存在なのだ。

3 人の子供たちとアングルボザ。1905 年、ドイツ人画家エミール・デプラーの作品。

アングルボザの 3 体の子供の父親は、北欧神話のトラブルメイカー、ロキである。あるときアース神族の神々は、この 3 体の子供が神々に災いをもたらすという予言を受け、対策を講じた。ヨルムンガンドは海に捨てられ、フェンリルは戦神チュールが腕と引き替えにしてだまし、決して切れない紐で拘束。ヘルは世界の底にある冥界（のちにヘルヘイムと呼ばれる）に追放され、死者を管理する役目を与えられたのだ。このとき母アングルボザがどう対応したのかは神話には書かれていない。

その後のアングルボザ

フェンリルたちを産んだあとのアングルボザがどうなったのかは不明だが、そのヒントとなる神話が、古エッダの『バルドルの夢』に紹介されている。この物語は最高神オーディンが、息子バルドル（➡ 170）の運命を知るために死者の世界ヘルヘイムに向かい、墓から魔法で巫女の魂を呼び出し、予言を聞くという内容だ。この会話のなかで、オーディンは

「そなたは巫女でも賢者でもなく、3 人の巨人の母だろう」

と告げている。北欧神話研究の権威である谷口幸男は、この“3 人の巨人の母”とは、アングルボザだと推測しているのだ。もしこれが正しいとすると、アングルボザは子供たちを奪われたあと、なんらかの形で命を落としたということになる。

お使いのお菓子と女性週刊誌買ってきましたよー。今月のスクープは……「ロキはなぜアングルボザと不倫したか？“まじめすぎる正妻シギュンにはもう飽きた”」えーっ!?　サイッテー！

illustrated by けいじえい

お名前言えたら渡してあげる

モーズグズ

種族：ヨトゥン　別名：モッドグード　出典：新エッダ『ギュルヴィたぶらかし』

冥界の橋を見守る番人

北欧神話において、名誉なき死者の魂は、世界の最下層にあるヘルヘイムという世界に向かい、そこで永遠に過ごすことになっている。だがヘルヘイムに向かうためには、日本で言う三途《さんず》の川にあたる「ギョル川」という川を渡らなければいけない。この川には、黄金色に輝くギャッラルブルーという橋が架かっており、橋にはモーズグズという青白い顔の女性が陣取って、橋の番人をつとめているのだ。

モーズグズの種族は、彼女が登場する神話『ギュルヴィたぶらかし』では明言されていないが、一般的には巨人族の少女だと解釈されている。彼女の役割は、ギャッラルブルーの橋を渡る者を見張り、その名前と目的を確認することである。橋を渡ろうとしているのが死者であれば、モーズグズはその者に橋を渡ることを許す。死者でない場合はヘルヘイムに向かう目的を聞き、その目的が正当なものであれば道を通してくれるのだ。

18 ～ 20 世紀ごろの作家が神話を再構成した「再話物語」というジャンルの作品群では、モーズグズにはさらに多くの出番が与えられている。死者の魂はギャッラルブルーの橋を渡ったあとの死者の魂は、ヘルヘイムの「エーリューズニル」（➡p157）という館で永遠に暮らすことになるのだが、モーズグズは橋を渡る死者に、この館がどんなに恐ろしい場所なのかということを教えてくれるのである。

アース神族の使者とのやりとり

『ギュルヴィたぶらかし』において、モーズグズは、70 ページでも紹介した「光の神バルドルの死と復活」にまつわる神話に登場する。死亡したバルドルを復活させるべく、アース神族の神々はヘルモーズという神を使者に任命し、オーディンが所有する八本足の馬スレイプニルに乗せてヘルヘイムへ送り出す。そしてヘルモーズはギョル川にさしかかり、モーズグズの検問を受けることになるのである。

なぜ生きている者がヘルヘイム来たのかと質問してくるモーズグズに対して、ヘルモーズはバルドルを連れ帰すという目的を説明し、「この道でバルドルを見なかったか」と逆に質問をかえす。モーズグズは、バルドルはすでに橋を渡ったと説明し、あっさりとヘルモーズに橋を渡ることを許している。

ヘルモーズ様が橋についたとき、モーズグズさんは「昨日は５組の死者が橋を渡った」って言ってたらしいんだけど……たった５組？　寿命とか病気で死ぬ人って、意外に少ないのかなあ？

illustrated by ももしき

道具がないなら貸しましょう！

グリーズ

種族：ヨトゥン　別名：グリズ、グリッド　出典：新エッダ『詩語法』、神話詩『トール讃歌』など

アース神族に味方した女巨人

アース神族の雷神トール（➡p167）は、「巨人殺し」という異名を持ち、人間の世界ミズガルズの北東に住む「霜の巨人」たちにとっては天敵と呼ぶべき存在だ。だがここで紹介するグリーズという美しき女巨人は、トールに宿を提供するばかりか、武器を貸して危機を救った珍しい人物である。

新エッダ『詩語法』に掲載された物語によると、巨人の国ヨトゥンヘイムに住むゲイルロズという巨人は、トールを抹殺しようと考え、トラブルメイカーの神ロキを捕らえて「トールの魔法のアイテムを持たせず、トールを自分の館におびきよせろ」と脅迫した。トールは魔法のハンマー「ミョルニル」や、それを扱えるようにする補助具を所有しており、これがないとトールの戦闘力はかなり下がってしまうのだ。

そうとは知らないトールは、友人であるロキの言うとおりに、魔法の武器を持たずに巨人の世界にやってくる。彼らは女巨人グリーズの館で一晩の宿を借りたが、そのときグリーズがトールのもとにあらわれて、ゲイルロズの狙いを知らせたのである。彼女は普段の武器を持たないトールに、魔法の杖「グリダウォル」と、力を増す補助具を与えて送りだした。

知恵の回るゲイルロズは、「トールが渡ろうとすると急激に水量を増す川」「トールが座るとせり上がり、天井とサンドイッチにする椅子」などの罠でトールを殺そうとするが、トールは魔法の杖グリダウォルの力ですべての罠を切り抜け、襲いかかってきたゲイルロズを返り討ちにしてしまったという。

沈黙の神ヴィーザルの母

別の伝承では、グリーズはオーディンの妻のひとりとして「ヴィーザル」という神を産んでいる。非常に無口だったため沈黙の神とも呼ばれるヴィーザルは、ラグナロクにおいてオーディンが巨狼フェンリル（➡p175）に飲み込まれたあと、父の仇を討つ役割が与えられている。グリーズはこの息子に、人間たちが靴を作るときに捨てた皮の切れ端を、無数に集めて作った硬い靴と、丈夫な脛当てを与えている。ヴィーザルはこの靴をはいてフェンリルの下あごを踏みつけ、上あごを手でつかんで、フェンリルの口を引き裂いて殺すとされている。

ヴィーザル様って、ラグナロクが終わったあとも生き残ることが決まってるみたいだよ。ほかの神様は広場に集まって思い出話に花を咲かせるってことだけど、しゃべらないヴィーザル様は楽しめるのかなあ？

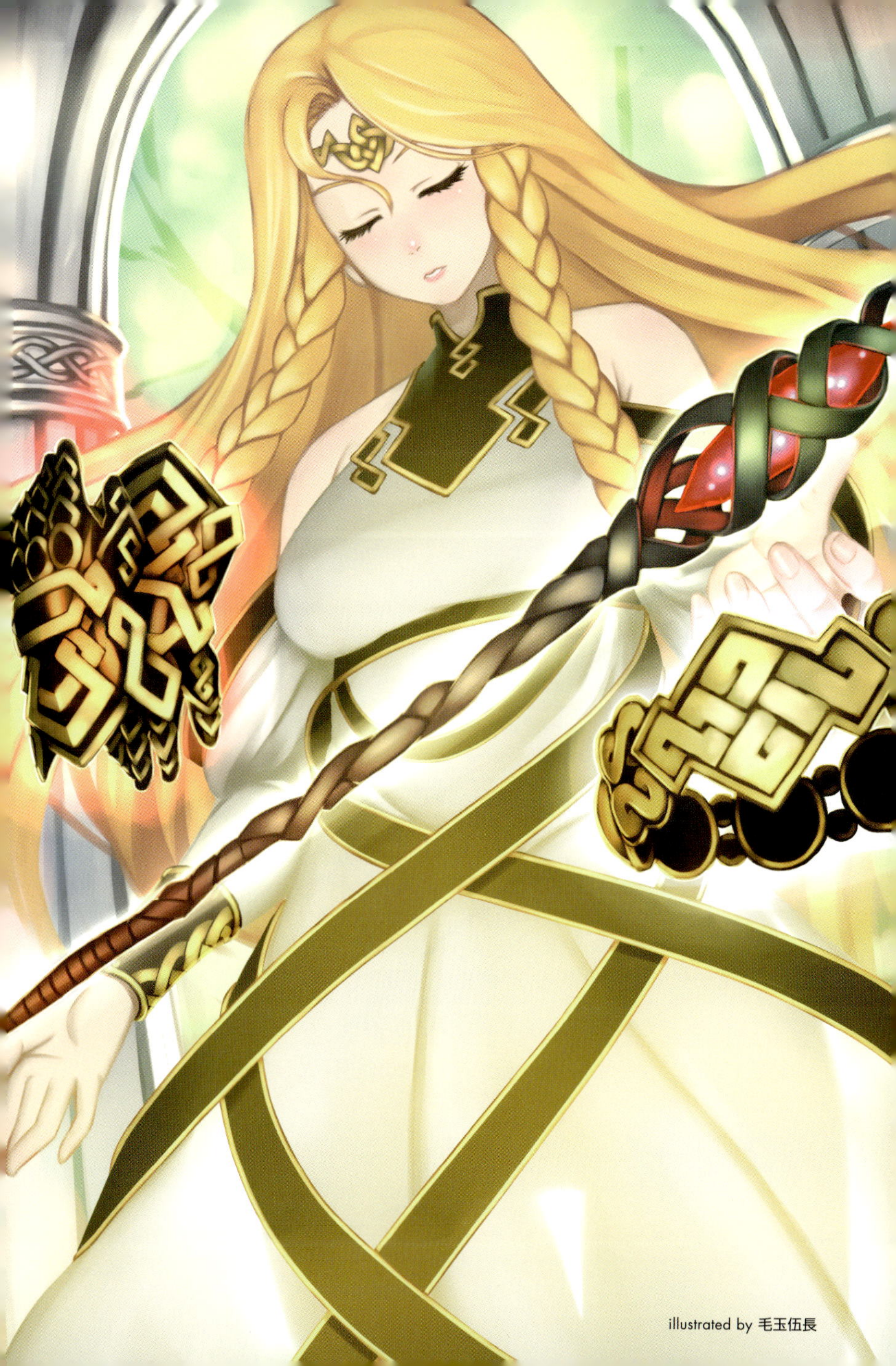
illustrated by 毛玉伍長

箱入りではなく『穴入り娘』
グンレズ

種族：ヨトゥン　別名：グンロズ、グンロッド　出典：古エッダ『オーディンの箴言』、新エッダ『詩語法』

詩の密酒を守る番人

グンレズの肖像画。20世紀初頭のスウェーデンの画家アンデシュ・ソーン画。

北欧の神話は、現在のように文字で書き残されるまで、詩として歌い継がれてきた歴史がある。そのため優秀な詩人は北欧社会のエリートであり、神々から詩の才能を与えられた者として大いにもてはやされたのだ。この「神々が与える詩の才能」とは、神話によれば「詩の密酒」という魔法の酒である。最高神オーディンがこの酒を手に入れた神話には、グンレズという巨人女性が深く関わっている。

グンレズは、スットゥングという巨人の娘で、とても善良な性格の女性だった。彼女は「詩の蜜酒」の所有者である父スットゥングの命令で、蜜酒が入った３つの甕《かめ》とともに洞窟の中に閉じ込められ、蜜酒の見張り番をつとめていた。だがそこに最高神オーディンが忍び込んできた。

オーディンは、スットゥングの兄弟の持つ奴隷を殺し、巨人をだますなど卑怯な手を使って洞窟に侵入すると、甘い言葉でグンレズを魅了し、三日三晩ともに過ごした。そして彼女に「３つの甕から１口ずつ酒を飲ませる」という許可を得ると、３つの甕をどれも１口で飲み干し、これまで情熱的に口説いていたグンレズのことを見向きもせず、鷹に変身してアースガルズへ逃げ去ったのだ。純粋なグンレズは、悪辣なオーディンにまんまとだまされてしまったのである。

その後オーディンとアース神族は、この密酒の一部を神々で飲み、残りは人間の詩人たちに分け与えることにした。こうして人間のなかにも、詩の才能に優れた者があらわれるようになったという。

「詩の密酒」とは？

「詩の密酒」は、かつてアース神族がヴァン神族と和解したとき、和解の儀式で双方の神々が壷の中に吐いた唾《つば》で作った賢い人間「クヴァシル」の血から作られている。詐欺によって巨人たちをだますことになったオーディンではあるが、自分たちが作ったものを取り返したとも言えるのである。

岩波少年文庫《北欧神話》では、グンレズ様は醜い姿に変えられて洞窟に閉じ込められていたところをお父様に救われている。フィルルゥたちにはこちらの神話を教えておくか、元の神話だとお父様は完全に悪者だからな……。

illustrated by 鞠乃

美人すぎて光っちゃう！

ゲルズ

種族：ヨトゥン　別名：ゲルド、ゲルダ
出典：古エッダ『ロキの口論』『スキールニルの旅』、新エッダ『ギュルヴィたぶらかし』『詩語法』

一目で惚れさせる絶世の美女

一般的な巨人族の男性は、人間よりも体格がかなり大きく、醜《みにく》い顔の者が多い。だが女性の巨人は大抵の場合人間と同じような体格で、美人であることが少なくないのだ。なかでもこのゲルズという巨人はとびきりの美女で、神話では「すべての女のなかで一番美しい」と描写されるほどであった。彼女が腕を上げると海も空も輝きだし、世界は光を放ったという。

光り輝くゲルズ（中央）を説得するスキールニル（左）。
1908 年、イギリス人画家 W.G. コリンウッド画。

この輝くほどの美しさに魅せられてしまったのが、ヴァン神族出身の貴公子フレイ（➡p168）だった。彼は世界のすべてを見通せるオーディンの玉座「フリズスキャールヴ」（➡p56）に座っていたとき、ゲルズの姿を目撃し、恋煩いにかかってしまう。思い詰めたフレイは、様子を見に来た従者のスキールニルに、ゲルズが自分と結婚するように交渉してこいと命令したのだ。

スキールニルはさっそくゲルズの住む館に向かい、ゲルズに高価な贈り物をして、フレイの嫁になるように説得するが、ゲルズは「フレイの嫁になることは絶対にない」と拒絶し、贈り物を受け取ろうとしない。スキールニルが「結婚を承諾しないなら殺す」と言っても首を縦に振らなかったゲルズだが、スキールニルが「ゲルズの父親を殺し、ゲルズを魔法の杖で醜い女に変えてみじめな暮らしをさせる」と脅したことで、ようやくゲルズは結婚を受け入れた。

フレイとゲルズの結婚神話の意味

古エッダ『スキールニルの旅』に紹介されている、フレイのゲルズへの求婚神話は、現代の神話学では、農業にまつわる信仰儀式を物語化したものだと考えられている。日光や植物の生長をもたらす男神フレイが、大地の下から穀物の女神ゲルズを獲得するという、この神話の内容に似た神話は世界各所に見られる。フレイのなりふりかまわぬ求婚は、北欧の大地に実りをもたらしたのである。

ゲルズ様がいくら美人だからって、一目見ただけで夢中になって引きこもるってちょっと異常すぎるわ。お爺さまの玉座に勝手に座ったせいで呪いにかかったのだ、なんてウワサもあるけど、案外アタリかもね。

illustrated by 中乃空

奴隷は大事に使いましょう

フェニヤ＆メニヤ

種族:巨人族　別名:フェニァ、フェニア、フェンヤ／メニァ、メニア、メンヤ
出典:古エッダ『グロッティの歌』、新エッダ『詩語法』など

魔法の石臼を回した女巨人

石臼グロッティを回して疲れ果てたフェニヤとメニヤの木版画。1886年、スウェーデン人画家カール・ラーション画。

「塩吹臼《しおふきうす》」という民話をご存じだろうか。優しい男性が、回せば望みの物が出てくる臼をもらうが、欲深い兄弟に臼を奪われる。兄弟は船の上で臼をひいて塩を出すが、止め方がわからなかったため大量の塩によって船は沈んでしまう。いまでも海底で臼が回り続けてているために、海の水は塩辛いのだと説明する話である。この物語と似た内容の神話は世界中にあり、北欧神話では、ふたりの女巨人フェニヤとメニヤが引いていた臼が、海水が塩辛くなった原因だとされている。

フェニヤとメニヤは巨人族の女性で、力が強く、未来を読む力を備えている。かつては傭兵として人間界の戦争で大活躍していたが、戦争に敗れて捕虜となり、デンマークの伝説上の王「フロージ王」に奴隷として買われた。フロージ王は、自身の持ち物である「重すぎて人間には回せないが、回せばなんでも望む物が手に入る石臼“グロッティ”」を回させるためにふたりを購入したのだ。ふたりはさっそく石臼を動かし、黄金の粉を出して王を喜ばせた。

欲をかいたための破滅

当初は楽しそうに歌いながら、石臼から黄金と「平和と幸福」を出していたふたりだったが、欲に目がくらんだフロージ王は、ふたりに「眠らず休まず石臼を回し続けろ」と無茶な命令を出す。怒ったふたりは『グロッティの歌』という恨み節のような歌を歌いながら臼を回して、黄金ではなく軍隊を出し、フロージ王の敵である海王ミューシングとともにフロージ王を殺してしまった。

ミューシングは戦利品として、石臼を自分の船に持ち帰る。そして、フェニヤとメニヤに石臼から、当時北欧では高価だった塩を出すように命じた。だが結局ミューシングも欲に目がくらみ、際限なく塩を出すよう命じたため、船は重くなりすぎて沈没。石臼は塩を出しながら海中に沈み、海を塩辛くしてしまったという。

フェニヤさんとメニヤさんが歌った恨み節ってどんな歌だったのかな……え、古エッダに載ってる『グロッティの歌』って、あのときフェニヤさんたちが歌った歌なの？　読んでみよ～っと！

illustrated by 朱*

お宝ザクザク！ フィンランド神話の「サンポ」

フェニヤさんたちのグロッティの石臼ってまだ海の底にあるんだよねー？ もったいないなあ。誰かが海から引き上げてくれたら、塩じゃなくってお菓子やおこづかいを出しまくるのにー。

そういえばお隣のフィンランドにも「サンポ」という似たような道具があったな。あちらは石臼かどうかはわからないが、黄金やら食べ物やら、人々を豊かにするものを無限に吐き出すのは同じだ。

スカンジナヴィア半島の国のひとつフィンランドは、11 ページでも説明したとおり、地理的には北欧でありながら北欧神話の伝わっていない地域である。この地方には「フィンランド神話」という独自の神話があり、そのもっとも重要な原典『カレワラ』には、グロッティの石臼よりもさらに重要な“サンポ”という魔法のアイテムが登場する。

『カレワラ』にはサンポがどんな外見の道具なのかはくわしく書かれていないが、一般的には石臼のようなアイテムだという説が有力になっている。サンポを正しく使用すると、なにもないところから小麦や黄金など、大量の穀物と富が出現するのだ。この点もグロッティとそっくりである。

サンポを製造するイルマリネンたち。1893 年、フィンランド人画家アクセリ・ガッレン=カッレラの作品。

このサンポは、イルマリネンという神のごとき力を持った人間によって作られた。彼は優秀な鍛冶師であり、北の国を治める偉大な女王「ロウヒ」の娘と結婚するため、ロウヒに支払う代価としてこのサンポを制作したのだ。だがこの娘が死んでしまったため、イルマリネンとロウヒの関係は悪化。イルマリネンはサンポを取り返そうと考え、神話の主人公である魔術師ワイナミョネンと協力して戦うが、争いの中でサンポは砕け、海に沈んでしまったという。

サンポはばらばらになっちゃったのかー、ダメだねえ。じゃあやっぱりグロッティの石臼を引き上げようよ！ ラーン様にお願いしたら、魔法の網を貸してくれるかもしれないし！

なるほど、海神のラーン様に助力を仰ぐというのはいい作戦だな。……で、誰があのばかでかい石臼を回してくれるんだ？

あっ……。

その他の女神、巫女

Dís & Völva

この章で紹介しているのは、
所属する神族や種族が明確でない女神や、
個人名を持たない下級の女神の一集団、
そして魔法の力を駆使して神々にも劣らない活躍を見せる
「巫女（ヴォルヴァ）」と呼ばれる女性たちです。

illustrated by しかげなぎ

ヘル

死にたくなければコケないで

ディース

神族：アース神族？　ヴァン神族？
出典：古エッダ『レギンの歌』、ヘイムスクリングラ『オーラヴ・トリュグヴァッソンの最大のサガ』など

名も知られぬ女神たち

北欧の神話や信仰に登場する「ディース」という言葉には、ふたつの意味がある。ひとつは「女神」という意味の一般名詞で、例えばフレイヤ（➡p26）のことを「ヴァナディース（ヴァン神族の女神）」と呼んだりする。もうひとつは、特定の能力を持つ女性下級神の呼び名で「ヴァルキリー」や「ノルニル」に近いものだ。

ディースをもっとも深く信仰したのは、スカンジナヴィア半島の南東側を占めるスウェーデン（p11 の地図参照）の人々だった。ここのディースたちは、作物の実りや家畜の多産をもたらす豊穣の女神であり、年に一度、春分の日のころに、聖地ウプサラで「ディース犠牲祭」という盛大な祭りが行われた。祭りでは宗教的儀式以外にも商売や政治的会合など、国を動かすための重要な交渉が行われていたという。

絵画などでは、ディースは武装した女性として描かれることが多い。アイスランドの神話物語『オーラヴ・トリュグヴァッソンの最大のサガ』では、黒い服を着て黒い馬に乗ったディースたちが登場人物のひとりを殺害し、白い服を着たディースたちはそれを防ぐことができなかった、という物語が語られている。

ディースたちの裏切り

ひとりひとりのディースは、共通の祖先を持つ人間の集団「氏族」を守護するものだと考えられている。氏族の守護者としてのディースは、特に「戦闘」について御利益をもたらす存在だとされていた。例えば 10 世紀ごろにドイツで書かれた『メルゼブルクの呪文』という文献には、ディースに祈ることで捕らえられた戦士たちを解放するというおまじないの呪文が掲載されている。

『メルゼブルクの呪文』を題材に、捕縛された兵士を解放するディースたちを描いたイラスト。1905 年、ドイツ人画家エミール・デプラー画。

ただしディースは、守護するべき氏族を裏切って敗北を与えることがあり、そのとき裏切りの前触れを人間に知らせる。例えば戦闘に向かう途中でつまづいた者は、直後にディースの裏切りにあって戦死すると信じられていたらしい。

武装した下位の女神であり、人間の運命を定める力を持つ……何かに似ていると思わないか？　そう、実はディースは、我々ヴァルキリーの原型になった女神だと考えられているのだ。

illustrated by 了藤誠仁

一度来た子は帰してあげない♥

ヘル

神族：ヨトゥン？　生誕地：ヨトゥンヘイム　居住地：エーリューズニル（ヘルヘイム）　出典：『古エッダ』

冥界を支配する女王

北欧神話では、勇敢な戦死者はヴァルキリーに導かれて、天上世界アースガルズにある宮殿ヴァルハラで暮らすことになっている。ではヴァルキリーに選ばれなかった死者たちはどうなるのだろうか？　一言で回答をすることはできないが、すくなくともその大部分は、地下にある冥界「ヘルヘイム」に行くことになっている。この世界を管理しているのは、ヘルという女王である。

ヘルは、北欧神話のトラブルメイカー「ロキ」が、アングルボザ（➡p100）という女巨人に産ませた３名の子供のうち、末の妹である。兄弟の巨狼フェンリルや世界蛇ヨルムンガンドとは違い、ヘルの外見はほぼ人間と同じ形をしている。ただし体の半分は青い肌になっており、もう半分だけが健康的な肌色である。どのように「半分」なのかは神話の原典には明記されていないが、20 世紀イギリスの児童文学者クロスリイ・ホランドが北欧神話を再構成して制作した『北欧神話物語』では、「上半身は肌色だが、下半身が腐っており、緑がかった黒色になっている」と解釈している。また、顔つきは険《けわ》しく恐ろしいという。

ヘルたち兄弟は、母親アングルボザに育てられて巨人の国ヨトゥンヘイムで育ったが、アース神族の神々に「ロキの３人の子供が将来神々に災いをもたらす」という予言が下ったことから、最高神オーディンによって世界の果てである地下世界ニヴルヘイムに追放された。このときオーディンは、ヘルに「名誉ある戦死者」以外の死者を支配する役目を与えた。そしてニヴルヘイムのうちヘルに与えられた場所は「ヘルヘイム」あるいは単に「ヘル」と呼ばれるようになったのだ。

ヘルヘイムとはどんな世界？

156 ページでよりくわしく紹介しているが、ヘルの支配する世界ヘルヘイムとは、地下世界ニヴルヘイムよりもさらに地下にあるという寒い世界である。死者の魂が集められることから「冥界」と呼ばれることもある。

バルドルの復活を願うためにヘルの前でひざまずくアース神ヘルモーズ。1909年、イギリス人画家ジョン・チャールズ・ドルマン画。

ヘルヘイムに向かうことになる死者は、具体的には、老衰や病気で死んだ者、性根が善良ではなかった者である。これは人間だけとは限らない。アールヴやドヴェルグなどの妖精族はもちろん、場合によっては神々ですら、命を落とせばヘルヘイムに向かうことになるのである。

こうしてヘルヘイムに入った死者の魂は、決して外の世界に出ることができないとされている。死者を元の世界に戻す権限を持っているのはヘル本人のみだが、めったなことではこの権限を使うことはない。光の神バルドルがロキに謀殺され、オーディンたち神々が全員でその復活を願った（➡p70）ときでも、「この世の全員が彼のために涙を流すならば復活を許す」という非常に厳しい条件を突きつけ、ただひとり泣かなかった女巨人がいたためにバルドルの復活を許さなかった。

ヘルの館エーリューズニル

ヘルがオーディンに地下世界へ落とされたとき、彼女はオーディンから「彼女のところに送られるすべての者たちに住居を割り当てる」という能力を与えられた。この力で築かれたのが、ヘルヘイムに建つ館エーリューズニルである。

エーリューズニルでの死者の暮らしは、きわめて退屈で、不快なものであるらしい。それを裏付けるように、エーリューズニルの使用人や調度品には、以下のような不吉な名前が付けられている。

●エーリューズニルの使用人や調度品の名前と意味

種類	原語の名前	意味
入り口の敷居	ファランダ・フォラズ	落下の危険
皿	フング	空腹
ナイフ	スルト	飢え
ベッド	ケル	病床
ベッドの天蓋	ブリーキング・ベル	輝く災い
使用人（男）	ガングラティ	動作の遅い男
使用人（女）	ガングロト	動作の遅い女

ラグナロクでのヘルの働き

神々の最終戦争ラグナロクにおいて、ヘル本人が戦いに参加するという記述は見られないが、彼女は神々を攻撃する巨人の軍勢に重要な支援を行っている。それは「ナグルファル」という巨大な船を与えたことだ。炎巨人ムスッペルの軍勢は、この巨大な船に乗り込み、海を越えてアースガルズに攻め込むのである。

ナグルファルは、死者の女王であるヘルが長い時間をかけて集めてきた「死者の爪」を集めて作られている。そのため北欧の人々は、ナグルファルの完成とラグナロクの到来を少しでも遅らせるために、死者を埋葬するときに爪を切っておくという習慣があったということだ。

ラグナロクでは世界樹の大半が焼け落ちちゃうんだけど、ヘル様のいるヘルヘイムがどうなっているのかは不明なのよね。ヘルヘイムがなくなると死んだ人の行き場所がなくなっちゃうし、やっぱりそのまま残るのかしら？

illustrated by アカバネ

ダメンズ旦那に尽くす女神
シギュン

神族：不明（ヨトゥン？）　別名：シギン、シグン（sigun）、シグリュン（sigryn）　出典：古エッダ『巫女の予言』など

夫に尽くしたけなげな妻

北欧神話の女神シギュンには、自然現象や人の営みなどに影響を与える、神らしい力がまったくない。彼女は「夫への奉仕」のみで神話に名を残した女神だ。

女神シギュンは、北欧神話のトラブルメーカー「ロキ（➡p166）」の妻だ。彼女とロキのあいだには、ヴァーリとナルヴィという息子が生まれている。ロキはシギュンに特別な興味をもたなかった（虐待していたと書く資料もある）が、シギュンの方は、夫がどんな悪事をはたらいても忠実に従う、貞淑な妻であり続けたという。

ロキとシギュンと蛇の毒液

ロキは神々の役に立つ仕事もする一方で、自分勝手な行動で神々に迷惑をかける困り者でもあった。ロキの悪事はしだいにエスカレートし、ついにはオーディンの息子で、神々に愛される太陽神「バルドル」を間接的に殺害。神々の宴会でそのことを自慢げに告白し、罵詈雑言を吐き捨てた。ここにきて神々は、これまでロキの悪事を野放しにしすぎたと判断し、ロキに厳しい罰を与えることを決めた。

まず神々は、捕縛したロキと息子ふたりを「暗黒と悲嘆の深淵」という島に連行すると、息子を殺して内臓で鎖を作り、それでロキの体を岩に縛りつけた。しかもロキの顔の上には毒蛇が置かれ、牙から毒液がしたたり落ちるようにした。この毒は非常に強力で、触るだけでとてつもない激痛が走るのだ。

ふたりの息子を殺され、すべての神を敵に回して罰を受けるロキを、シギュンは見捨てなかった。彼女はロキのそばにつき添い、蛇の毒液を杯《さかずき》で受け止めて、ロキの顔に毒がかからないようにしている。しかし杯がいっぱいになると、シギュンは毒液を捨てるためにロキの元を離れなければいけない。このときだけはロキの顔に毒がかかり、ロキは激痛にもがき苦しんで大地を揺らす。北欧における地震とは、顔面に毒液をかけられたロキが苦しみながら引き起こすものなのだ。

杯で蛇の毒液を受け止めるシギュン。19世紀スウェーデンの画家、モーテン・エスキル・ヴィンゲの作品。スウェーデン国立博物館収蔵。

地下の極寒世界ニヴルヘイムにある「暗黒と悲嘆の深淵」は、いわば地下牢のような目的に使われている。ロキの子供である巨狼フェンリルも、この世界で縛られて封印されているのだ。

illustrated by リリスラウダ

手術中はお静かに

グローア

種族：不明（人間？　巨人？）　別名：グロア　出典：『新エッダ』の『詩語法』など

雷神トールを救い損ねた巫女

北欧神話では、特別な力を備えているのは神々や巨人だけではない。例えばヴォルヴァ（巫女の意味）という職業の女性が、魔法を使っていくつもの奇跡を起こしているのだ。このページで紹介するヴォルヴァ“グローア”は、癒しの魔力を持つことで知られていた。

『新エッダ』の第２部である詩の参考書『詩語法』に例文として紹介された神話によれば、雷神トール（➡p167）が巨人フルングニルと戦って勝利したとき、フルングニルが投げた砥石の破片がトールの額に食い込み、トールは頭痛に悩まされるようになってしまった。トールを助けるべく神々に呼び出されたのが、癒しの術を持つグローアだった。彼女が魔法の歌を歌うと、トールの額の石は徐々にゆるみ、抜けそうになってきた。これで助かると機嫌をよくしたトールは、治療の最中だというのに、グローアにお礼として大事な情報を話し始める。グローアにはアウルヴァンディルという夫がいるのだが、長く留守にしており、グローアは夫の消息を気にしていた。トールは少し前に巨人の国でアウルヴァンディルに出会い、その旅を助けたことを知らせ「もうすぐ彼は帰るから安心していい」と話したのだ。

夫の無事を聞いたグローアは、喜びのあまり癒しの呪文を忘れてしまった。そのため治療は失敗、くい込んだ砥石は今でもトールの頭に埋まっているという。

死後も魔術で息子を助ける

北欧の神話詩『グローアの呪文』は、トールとの物語よりも後の時代を舞台に、グローアの息子であるスヴィプドラーグが、死せる母グローアを呼び出して助力を求めるという内容だ。スヴィプドラーグは継母《ままはは》の命令で、メングラドという美女の愛を手に入れる必要があったのだ。彼は呼び出した母から、災いを避ける９個の呪文を教わり、メングラドの愛を手に入れるための長い旅に出ることとなる。

死から復活し、魔法の歌を歌うグローア。１９０８年、イギリス人作家コリンウッドの『グローアの魔法』に掲載された挿絵より。

アウルヴァンディルさん、この旅で足の指が一本だけ凍傷にかかってもげちゃったんだって……あうあうあうあう……と、トール様に助けてもらえなかったら指一本じゃすまなかったよー！

illustrated by 玉之けだま

馬のアソコで呼び出して

モルニル

神族：ヴァン神族？　出典：『ヴォルシの話』

オス馬の男根を捧げられた女神

古来より男性の性器は、人間や家畜に子宝を授けることから、神聖なものとして世界中で信仰の対象になってきた。日本では現在でも全国各地に「男性器型のご神体」をかついで町を練り歩く祭りがあり、世界の注目を集めているが、これは何も日本だけに限ったことではないのだ。同様の習慣は北欧にもあり、人々が男根を捧げる対象として「モルニル」という女神の存在が確認されている。

アイスランドの神話集『フラート島本』に収録された『ヴォルシの話』という神話によれば、ノルウェーの王が農村で奇妙な儀式を目にする。それは秋に屠殺されたばかりのオスの馬から性器を切り取り、ニラやネギなどの香味野菜と一緒に布でくるんだ「ヴォルシ」というものを作り、それを家族全員でぐるぐると手渡ししながら呪文をとなえるというものだ。呪文ではこのヴォルシのたくましさを讃《たた》える言葉を歌いながら、「モルニル様、納めたまえ」と唱え、ヴォルシを「モルニル」なる存在に捧げているのだ。

北欧において、ニラなどの香味野菜は精力を高める強壮剤とされており、これらで馬の男性器をくるむという行為は、ヴォルシの生殖能力を高めるという意味がある。儀式においてヴォルシが家族の手から手へと回されるうちに、ヴォルシは家族にその生殖能力を分け与え、一家の無病息災と子孫繁栄をもたらすのだ。

モルニルの正体とは？

馬の男根を捧げられるモルニルとは何者か？　スウェーデンの宗教学者フォルケ・ストレム博士はふたつの説を提示している。

ひとつはこの名前が複数形の女性名詞であることから、モルニルとはヴァン神族のような豊穣神の妻たちの１グループにつけられた名前だという説である。もうひとつの説は、モルニルとは上で説明した「ヴォルシ」、つまり神聖化した馬の性器の別の名前だというものだ。つまり馬の性器を馬の性器自身に捧げているのだという。

どちらの説を採用する場合でも、モルニルはヴァン神族と関わりの深い何者かであることは間違いないだろう。なぜならフォルケ・ストレム博士によれば、馬の性器ヴォルシは「ヴァン神族の豊穣神フレイの動物形態」だと考えられるからだ。

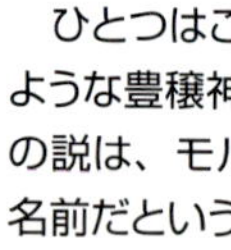

秋に家畜を屠殺するのは、冬のあいだ、家畜に食べさせるエサが確保できないからだ。家畜の数を減らして肉に変えるわけだな。こういった習慣は欧州全土にあって、屠殺した家畜を食べる祭りが行われるのだ。

illustrated by 々仝

家族をみーんな守ってあげる♪

フュルギャ

神族：不明　別名：フィルギャ、フュルギュコナなど　出典：英雄詩『ハルフレズのサガ』など

動物型の霊魂から女性の守護霊へ

かつて北欧の人々は、日本でいうところの「生き霊」の存在を信じていた。人間の霊魂が、その人の性格と対応する動物の姿をとって出現し、本人と離れて独自の行動をとるのだ。このような動物型の生き霊を「フュルギャ」と呼んでいる。

このようにフュルギャはもともと動物の姿であり、女性的な要素とはまったく関係がなかった。ところが時代が進むにつれ、フュルギャは女神ディース（➡p114）たちと混同され、人間女性型のフュルギャが伝承に出現するようになったのだ。

女性型のフュルギャは「フュルギュコナ」とも呼ばれる守護霊で、個人だけでなくひとつの家族の守護霊として機能する場合がある。外見は人間女性であること以外はまちまちで、たくましい女性のこともあれば、武装した乙女のこともある。

家族の守護霊としてのフュルギャは、家族全員を生まれてから死ぬまで見守り続ける。家族が栄えるか衰退するかはフュルギャの強さと賢さによるところが大きいので、北欧の人々は先祖から続く名誉を守り、さらに名声を高めることで、フュルギャの力を高めようとする。またフュルギャは、ときどき家長の夢の中、あるいは起きている家長の前にあらわれて忠告を与えることがあり、その忠告を守らなければ、家族全体によくないことが起きるとされている。

フュルギャを持つ一族のリーダー本人が自分のフュルギャを見るのは問題ないのだが、自分の持つフュルギャが他人に見えてしまった場合、それはフュルギャの持ち主にとって死の前兆である。通常は、他人のフュルギャに近くに寄られた人間は睡魔に襲われ、夢の中で動物または女性形のフュルギャの姿を見るという。

ヴァルキリーの原型となった守護霊

女性型フュルギャのなかに武装して出現する者がいることからもわかるように、フュルギャとヴァルキリーには深い関係がある。新潮社《エッダ―古代北欧歌謡集―》の注釈によれば、もともと北欧で信じられていた女性形のフュルギャに武装した乙女という形態が与えられた結果、シグルーン（➡p46）のような「英雄の恋人」という地位を手に入れた。これがオーディンへの信仰と結びついて「戦死者の案内役」の役目を与えられたのが、現在知られるヴァルキリーなのだという。

フュルギャは、一族のリーダーに取り憑いて、その人が亡くなると跡継ぎに受け継がれていくらしいわ。だからあんまりカッコ悪いことしてると、ご先祖さまはダサかったって子孫にバレちゃうかもしれないわよ？

illustrated by 崎田キユ

ヴァルキリーの酒"ミード"

3番テーブルにジョッキ3本はいりまーす！
フィルルゥ、そのお肉5番さんに持って行って～！
あーもう、たとえとかじゃなく、目が回る忙しさって気がするよ～！

今日も忙しそうね～。がんばってねー。
ところでヴァルハラ宮殿ってどんなお酒出してるの？
ビール？　それともワインなの？

え、スクルド様知らないの？　これはミードだよ、蜂蜜のお酒っ！
ビールもあるけどね……っていうかのんびり見てないで手伝って～!!

ヴァルキリーたちが連れてきた死せる勇者エインヘルヤルたちは、神の世界アースガルズにあるヴァルハラ宮殿に集められ、毎晩のように飲めや歌えの宴会を行っている。このような贅沢ができるのは、ヴァルハラ宮殿にはエインヘルヤルたちに食べさせるための特別な食料供給源があるからだ。

肉を供給するのは、「セーフリームニル」というイノシシだ。この獣の肉は、戦士たちがいくら食べても無くなることがなく、毎日料理をしても夕方までには元の状態に戻るという無限の食料なのだ。

飲み物については、古エッダ『グリームニルの言葉』に記述があり、ビールと「ミード」という酒が提供されている。これは水で薄めた蜂蜜を発酵させた酒で、日本人にはあまりなじみのないものだが、北欧や東欧では日常的に飲まれている酒である。これらの寒い地方では、ヨーロッパで一般的な酒「ワイン」の原料であるブドウが育たないため、このミードが愛飲されているという事情がある。

ただしヴァルハラ宮殿で飲まれるミードは、蜂蜜から作られる普通のミードとは少々異なる。このミードは、アースガルズに住む雌ヤギ「ヘイズルーン」が、その乳房からヤギのミルクのかわりに、毎日大釜いっぱいの量を吹き出すものだ。新エッダ『ギュルヴィたぶらかし』によれば、これはヴァルハラに住むエインヘルヤルたちが思う存分飲めるほどの量になるという。

ちなみにミードのなかには、魔法の力を持つものもある。女巨人グンレズ（➡p106）から、人間に変装した最高神オーディンがだまし取り、アース神族の神々に詩の才能をさずけたという「詩の蜜酒《ミード》」がそれである。

スウェーデン産のミード。ミードのなかにはもっと濃く赤い色のものもあるが、ヘイズルーンの出すミードはこのように透き通っているという。
撮影者：Grapetonix

もっとくわしく！北欧神話

この計画を成功させるには、
北欧神話をもっと幅広く
知る必要がある。
ヴァルキリーや女神を
見るだけではわからないものを
紹介するとしよう。

勝ち取れボーナス！

スクルド様の北欧神話研究室

うーん、ダメね。お爺さまってば、なかなか私たちの待遇改善をOKしてくれないわ。
う～ん、いったいどうすればウンと言ってくれるのかしら？

ふむ、私にひとつ名案がある。北欧神話の神々の実態調査をしよう。
いかにほかの神様方とくらべて、ヴァルキリーが重労働をしているかを比較するのだ。資料があれば説得力が増すのでな。

おおー！　それは効果ありそうだ～！

うむ、そのためには北欧神話についてもっとくわしく知る必要がある。
さあフィルルゥ、ウェルルゥ、さっそくレポートをまとめなさい。
なるべく幅広く、詳細な調査を行うのだ。

えぇ～っ！　また勉強するの～!?

おさらいしよう！　北欧神話って何のこと？

北欧神話についてくわしく学ぶ前に、北欧神話とは何なのかをおさらいしておきましょう。

北欧神話とは、ヨーロッパの民族「ゲルマン民族」がかつて伝えていた神話のうち、北欧地域で伝承され、現在まで生き残った神話のことです。くわしくは10ページから解説しています。

北欧神話はゲルマン神話の生き残り

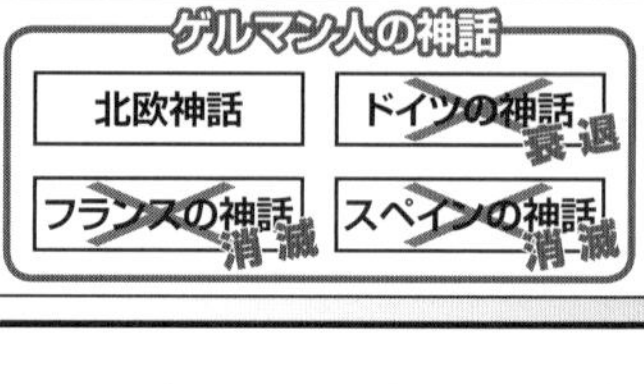

北欧神話についてよりくわしい知識を手に入れるため、3つの研究テーマにしたがって調査を進めることにしよう。
ヴァルキリーの待遇改善に向けて今回われわれが知らなければいけないのは、ここにあげた3つのテーマだ。

北欧の神話はここにある!(p132)

そもそも「北欧神話」って、すごい昔の時代、今から1000年以上前に作られたものだよね。
そんなに古いお話が、どんなふうにして現代まで伝わっていたのかな？　興味津々って気がするよー！

Y.T.B.で行く! 世界樹満喫9世界ツアー(p136)

北欧神話にくわしくなりたいなら、この世界がどんな世界なのかを知る必要があるよね。
本で勉強するだけじゃつまんない！　北欧神話の世界を、ぜんぶひと巡りしちゃおうよ！

北欧神話はこんな神話!(p160)

先ほどまではヴァルキリーや女神のことを多めに紹介していたから、ここで「北欧神話」そのものについてもっとくわしく知る必要があるだろう。ここでは北欧神話の物語、種族、男性の神々について紹介するぞ。

えーっと……お仕事いそがしいから待遇改善してよー！　って話だったよね？　なんか、やることが増えて、かえって忙しくなってる気がするよー……。

（ギクッ）
お、お爺さまを説得するまでの辛抱よ！
もうちょっとがんばりなさい！

北欧の神話はここにある!

神話について知るためには、その神話が「どんな資料に書かれているものか」を知ることが重要だ。北欧神話が書かれている資料の数は少ないから、フィルルゥたちでもまったく問題なく覚えることができるだろう。さあ、それでは始めるとしようか。

北欧神話(ゲルマン神話)の資料は少ない

北欧神話って、人間たちにもけっこう有名な神話のはずよね。
なんで資料が少ないのかしら?

神話を「文字」で残そうとしなかったからだな。
北欧の神話は、詩人たちが詩にして歌い継いでいたものだから、詩人が死ねば神話も途絶えてしまう。当然の理屈というわけだ。

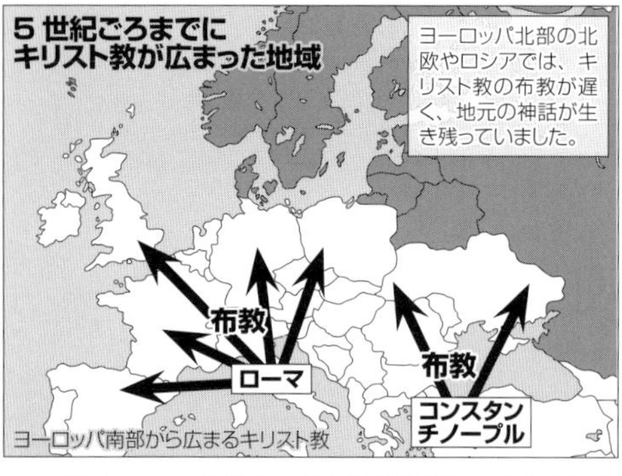

北欧を含むゲルマン人の詩人たちは、神話を文字ではなく口伝えと暗記で語り継いでいましたが、ヨーロッパにキリスト教が広まると、ゲルマン人独自の神話は忘れ去られてしまいました。

現在残っている北欧神話は、比較的キリスト教の普及が遅かった北欧で、キリスト教徒によって書き残された古い神話をまとめたものなのです。

上の地図を見なさい。これは約 1500 年前、5 世紀ごろのキリスト教の普及具合じゃ。
南から欧州本土にキリスト教が広まり、ゲルマン人の神話は忘れ去られつつある。
だが北欧にキリスト教が広まるのは 300 年以上後、8 世紀からなのじゃ。

「北欧神話」はどこに書かれている?

北欧には神話的な性質を持つ物語がいくつか伝わっているが、正式に「北欧の神話である」と認められたものはさほど多くないのだ。ここにあげた資料が、現在公式に「北欧神話」として認められているものだ。

北欧には、神や英雄が登場する物語が数多く伝えられていますが、他国の神話や騎士物語に影響を受けて創作されたものが多く、これらは神話とは認められていません。正式に「北欧神話」として認められているのは、下にあげた文献群です。

なかでも重要なのは、もっとも本来の形に近いとされる神話詩集『古エッダ』と、北欧の古い神話を教材として紹介した詩の教本『新エッダ』の２冊です。

北欧神話の原典資料

重要資料

- **古エッダ**　古い神話を集めた詩集
- **新エッダ**　神話を題材にした詩の教本

『古エッダ』と『新エッダ』のことは、次のページでくわしく教えてあげる！

補足資料

- **ヘイムスクリングラ**
  ノルウェー王家の歴史書
- **デンマーク人の事績**
  デンマーク王家の歴史書
- **「サガ」と呼ばれる物語**

この『ヘイムスクリングラ』とか『デンマーク人の事績』って歴史書なんだよね。
なんで歴史書が神話なんですかー？

北欧の王家は「自分たちは神の血を引く一族だ」と主張して、王家の正当性をアピールしていたからな。
歴史の冒頭には、王家と神々の関わりが濃密に描かれているわけだ。

そういえば東の日本って国でも、神話っていったら『古事記』と『日本書紀』よね。
たしかあの本って、世界が生まれてから日本が天皇家のものになるまでのお話しを書いた歴史書だったはずだわ。

そっかー、昔は、歴史と神話って別に区別するものじゃなかったんだ。

そういうことだな。
それでは次は、北欧神話の原典のなかでも特に重要な、『古エッダ』と『新エッダ』について授業するとしよう。

ふたつの“エッダ”

北欧神話の物語が記録されている原典として、もっとも重視されている資料はふたつある。それが『古エッダ』と『新エッダ』だ。北欧神話を知る上で欠かせない資料といえよう。

そもそも“エッダ”の意味は？

エッダという単語は、現在では、北欧の「詩の形態のひとつ」を意味する単語として使われています。日本でいえば「五七五」や「短歌」に近い意味合いです。

もともとこの言葉は、13 世紀アイスランドの詩人スノリ・ステュルルソンが、自分が書いた詩の教本の題名として使ったもので、「詩」または「曾祖母」という意味の単語だと推測されています。これ以降、詩の教本『エッダ』に載っていた詩と同じ形式の詩を、本の題名にならって「エッダ」と呼ぶようになったのです。

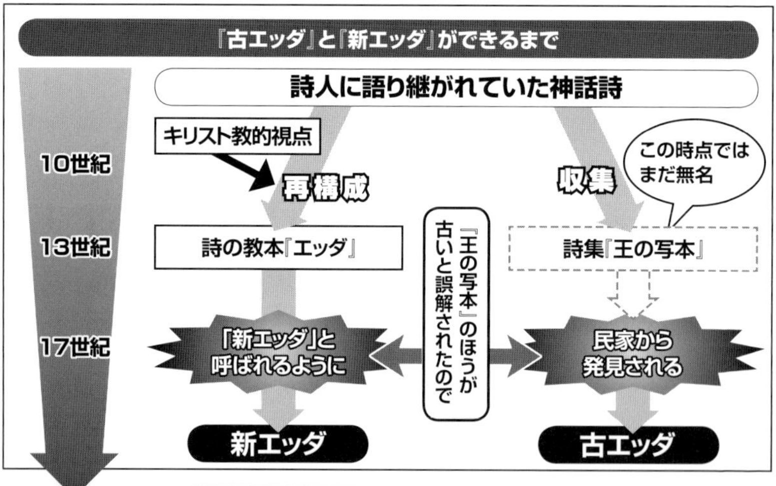

古エッダの種本である『王の写本』は 1270 年ごろ、スノリとやらの『新エッダ』は 1220 年ごろに作られたと考えられておる。しかし『王の写本』が発見された当初は、これは『新エッダ』よりも古い時期に書かれたものだと勘違いされとったんじゃ。そのせいで、新しいほうが『古エッダ』、古いほうが『新エッダ』と呼ばれるようになってしまったわい。

古エッダ

別名：詩のエッダ、セームンドのエッダ、王の写本など
成立年代：1270 年ごろ（王の写本）
作者：不明

29+5～6本の詩の集合体

実は『古エッダ』という本はありません。『古エッダ』とは詩の集合体につけられた名前なのです。現在『古エッダ』に数えられているのは、北欧の古い神話を集めた『王の写本』（前ページ参照）に収録されていた神話詩に、それと同時期に書かれたとみられる 5 ～ 6 点の詩を加えた、合計 34 ～ 35 点の神話詩です。

本来の北欧神話に近い神話詩

『王の写本』に収録される詩は、8 ～ 11 世紀ごろに書かれた複数の詩集から詩を引用してまとめたものです。そのため現存する資料のなかで、もっとも本来の北欧神話に近い物語が記録されていると考えられています。

『古エッダ』は、あちこちでバラバラに伝承されてた詩を無理やり集めたものだから、詩ごとに設定にムジュンがあったりするんだって。

新エッダ

別名：スノリのエッダ、散文のエッダなど
成立年代：1220 年ごろ
作者：詩人にして政治家、スノリ・ステュルルソン

詩人の作った詩の「参考書」

アイスランドの詩人にして政治家であるスノリが、詩人の育成のために作った詩の参考書です。本書は三部構成で、第一部は神話のあらすじ、第二部と第三部は実際の詩を実例にして詩の作法を学ぶ教本となっています。

北欧神話の集大成「ギュルヴィたぶらかし」

本書の第一部である「ギュルヴィたぶらかし」は、一部の例外をのぞいて断片的にしか語られていなかった北欧の神話を、世界の始まりから終わり（ラグナロク）まで、ひと続きの物語として再構成した作品です。現在「北欧神話」といえば、この『ギュルヴィたぶらかし』のことを指すというほど重要な作品です。

スノリはキリスト教徒だからな。詩の内容にもキリスト教的な改変が行われていて、『古エッダ』とは似ているが違う内容になっているぞ。

Y.T.B.で行く！

世界樹満喫 9世界ツアー

北欧神話には、神の住む世界、人間の世界など、全部で９つの世界がある。この世界について知りたいのなら、すべての世界に一度くらいは足を運んでみるべきだろう。９つの世界を巡るツアーに申し込んだので、さっそく出発するとしよう。

Y.T.B. ユグドラシル・ツーリスト・ビューローをご利用ありがとうデス！
ツアーをご案内させていただきますのはボク、ラタトスクでございます。

ラタトスク

世界樹ユグドラシルを上から下まで縦横無尽に駆け回り、メッセンジャーと観光ガイドの二足のわらじを履くリス。

外見は人畜無害そうに見えるが、実は相当ブラックな性格。くわしくは177ページ参照。

へ～、添乗員付きで観光なんてちょっといいじゃない！
それじゃ任せるわ！　おもしろいところにたくさん連れてってよね。

もちろんお任せなのデス！
さっそくツアーの内容を説明するデスから、このパンフレットをご覧ください～。

わ～い、おでかけだー！

ユグドラシルってどんな木?

「世界樹（ユグドラシル）満喫・9世界ツアー」？
この「世界樹ユグドラシル」ってなんなの？

世界樹ユグドラシルは、北欧神話の世界そのものデス！
北欧神話の世界は、全部このユグドラシルっていう１本の木の中に入ってるデスよ。
このツアーには３つの見どころがありますから、ぜひここに注目してくださいデス！

1 世界よりもでっかい!!

ユグドラシルは、「世界樹」「宇宙樹」などとも呼ばれる巨大な木です。

ユグドラシルのなかには、われわれ人間が住む「ミズガルズ」、アース神族の神々が住む「アースガルズ」など、合計９個の世界があるとされています。

つまり世界樹のことをくわしく知れば、北欧神話の舞台となる世界のすべてを知ることができるというわけです。

2 3本の根っこに支えられている

世界のすべてを支えるユグドラシルは、世界の各地に点在する３つの泉に根を伸ばしています。世界を滅ぼそうとする悪しき者はこの根を攻撃し、世界を守る神々は根から世界樹に活力を与えます。３つの泉はどれも特別な力を持ち、北欧神話の物語で重要な役割を果たします。３本の根と泉にまつわる物語にも注目です。

3 いろんな生き物が住んでいる！

世界樹のなかには、神々や人間のように「９つの世界」の中で暮らしている者もいれば、世界の外側、ユグドラシルの木の上で暮らしている動物や怪物もいます。後者の動物や怪物は、日本でいうところの「風神、雷神」のように、環境そのものに関わる者が多いのが特徴です。つまり世界樹に住む生き物を通じて、北欧の人々が地上に起こる自然現象をどのように解釈していたのかを知ることができるのです。

それでは皆さん、パンフレットの次のページをめくってくださいデス！
次はこれから皆さんが旅する、世界樹ユグドラシルの全体マップをご紹介するデスよ！

9世界ツアー ワールドMAP

これからお客様をご案内する、世界樹ユグドラシルのなかの９世界を、簡単にご紹介するのデス！
1
4
7
1 アースガルズ
アース神族の神様が住んでいる、輝ける天上世界デス！
➡p140
4 ミズガルズ
人間の皆さんが住む世界デス、大陸のまんなかの柵に囲まれた部分がそうデス。
➡p146
6 ニザヴェリル
ドヴェルグっていう小人族が住んでいる地下世界デス。魔法のアイテムの名産地デス！
➡p150
7 ムスペルスヘイム
全体がアチチな炎に包まれた、炎巨人ムスッペルさんたちの世界デス。
➡p152

2 ヴァナヘイム

アース神族の皆様の同盟相手、ヴァン神族の皆様が住んでるデス！

➡p144

3 アールヴヘイム

自然を愛する妖精族「アールヴ」さんたちが住む世界デス！

➡p145

5 ヨトゥンヘイム

柵の東と北に広がる、巨人族「ヨトゥン」の皆様が住む領域デス。

➡p148

8 ニヴルヘイム

世界のすべての水が湧き出している、極寒の世界デス！

➡p154

9 ヘルヘイム

冥界とも呼ばれる使者の世界デス。死んじゃったら人間も神様もここに行くことになるデス。

➡p156

140ページから、ツアースタート！

9世界ツアー
1st world

アースガルズ

別名：アスガルド

Y.T.B. がお届けする９世界ツアーでは、世界樹の９つの世界を天上から順番にご案内していきますデス。
最初にご案内するのは、神様の世界アースガルズなのデス！　キラキラ輝く建物が並ぶ、とってもキレイな世界デス。

うーん、なんだかすごい見慣れた風景って気がするよ……。

我々ヴァルキリーの住む世界でもあるからな。やむを得ん。
しかし自分たちが暮らしている世界だからといって、すみずみまで知っているわけではなかろう？　一度全体像を見直してみるのも意味があるはずだ。

よーし！　それじゃ、いつもは行かないようなところに行ってみよ～！

アースガルズってどんな世界？

アースガルズは、９つの世界でいちばん高いところにある世界デス。
この世界には、人間たちに「神様」って呼ばれてる、アース神族の神様方が住んでいらっしゃるのデス！

アースガルズの特徴

- **アース神族の神が住む世界**
- **ミズガルズよりも上方にある**
- **神の宮殿や集会場が建ち並ぶ**
- **通常の方法では侵入できない**

アースガルズは、アース神族という神の種族が住む世界です。この世界はミズガルズのはるか上方に存在し、高く堅固な城壁に囲まれています。

アースガルズとミズガルズのくわしい位置関係は明確にされていません。ミズガルズとは地続きで、山の上のような場所にあるとも、まったく別の世界に存在するとも解釈されています。確実なのは、徒歩など通常の方法ではアースガルズに入れないことです。

山のてっぺんに神様が住んでる、ってわりとよく聞く話だよねー。
日本でも大きな山はだいたいそうだし、ギリシャのオリュンポス山とか、中国の須弥山とか世界にも有名なのがたくさんあるよ。

どうやって行けばいいの?

そういえば、アースガルズって、すごい立派な城壁にぐるっと囲まれてるよね。
みんなってどうやって出入りしてるの？　わたしたちは空を飛んで出入りするから、わかんないんだよねー。

ああ、ひとつだけ入り口があるわよ。アースガルズってよく虹が架かってるでしょ？　あれ、実はただの虹じゃなくて、人間の世界につながる橋なのよ。

アースガルズは、最高神オーディンが巨人をだまして建設させた、強固で大規模な城壁に囲まれています。そのためアースガルズには、空を飛ぶ以外の方法では出入りすることができません。

19世紀のオペラ作品『ニーベルンゲンの指環』の第一幕『ラインの黄金』を題材にした絵画。川底に落ちた黄金を探す妖精たちの背後に、ビフレストの橋を渡るワルキューレたちが描かれている。1910年、イギリス人画家アーサー・ラッカムの作品。

唯一の例外が“ビフレスト”という橋を利用する方法です。ビフレストとは「ぐらつく道」という名前で、具体的には“虹”のことです。北欧の人々は、虹はアースガルズとミズガルズをつなぐ橋で、これを渡ればアースガルズに入ることができると考えていました。

ただしビフレストのアースガルズ側には、ヘイムダルという神（➡p171）が橋の番人として控えています。彼は侵入者がアースガルズに入り込まないように見張っているので、アースガルズに外敵が入り込むことは不可能だとされています。

皆さんよくご覧くださいデス。ビフレストの虹の橋は、一番外側が赤くなってるデスね？
これはただ色が赤いだけじゃないデスよ！
巨人の侵入を防ぐために、橋の上を燃やしている炎の色なんデス。

北欧神話種族解説①　アース神族

アース神族は、北欧神話の主人公と呼ぶべき神の一族です。最高神オーディンの指導のもと、神々の世界アースガルズに暮らしています。

アース神族という枠組みは非常にあいまいなものです。彼らはよく言えば多彩な能力の持ち主ですが、悪く言えば統一感がまったく見られません。そしておたがいに血筋的なつながりがあるわけでもありません。神話においてアース神族と呼ばれている者のなかには、ヴァン神族や巨人族として生を受け、政治取引や結婚によってアースガルズに移住しただけの「赤の他人」も多いのです。

アースガルズ名所案内

アースガルズには、神様たちが建てたとっても豪華な建築物や、重要なパワースポットがたくさんあるのデス！
なんせアース神族の皆様は、この北欧世界の統治者なのデスから！

われわれヴァルキリーが勤めているのは、４番にあるヴァルハラ宮殿だな。
ヴァルハラ宮殿はアースガルズでも特に立派な建物だが、ほかにも世界を動かす神々が拠点としている重要な場所が無数に存在する。

1　ヴァラスキャールヴ　9世界を見通す玉座の館

アース神族の最高神オーディンと、その正妻フリッグが住む館です。すべてを銀色で統一した美しい館で、「フリズスキャールヴ」という玉座が据え付けられています。この玉座に座ると世界のあらゆる場所、あらゆる人物のいまの様子を見ることができるといいます。オーディンはこれを使って人間たちの活動に介入するのです。

フリズスキャールヴは、基本的にオーディンとフリッグしか利用することが許されていませんが、まれに他の神に使用されることがあります。

2　ウルズの泉　万物を白く清める聖水

世界樹ユグドラシルは、三本の根を世界の各地にある泉に伸ばし、その身を支えるとともに水分と養分を吸い上げています。アースガルズにあるウルズの泉(ウルザンヴルン）はそのひとつで、運命の女神であるノルン三姉妹（➡ p30）が管理している泉です。泉の水は非常に神聖で、あらゆるものを「白く」する力があると言います。

ノルン三姉妹は、泉の水と沈殿している泥をユグドラシルの根にふりかけて木を維持しています。ユグドラシルは動物や悪意ある怪物によって常に傷つけられているので、放っておくと枯れたり腐ってしまうのです。

3　グラズヘイム&ヴィーンゴールヴ　男神と女神が集う館

グラズヘイムとヴィーンゴールヴは、神々が集会を開くときに利用する巨大な宮殿です。

グラズヘイムは内側も外側も金一色の豪華な宮殿で、オーディンを中心とする男性の神々が利用します。ヴィーンゴールヴは非常に美しい宮殿で、オーディンの妻フリッグを中心とする女性の神々が利用します。この宮殿は善行を積んだ人間が死後に迎えられる場所でもあります。

4 ヴァルハラ　死せる勇者たちの楽園

ワルキューレが連れてきた戦死者が暮らす、オーディン所有の館です。戦死者の半分がこの館に、残りは女神フレイヤの館フォールクヴァングに招かれます。

ヴァルハラの壁は無数の槍、屋根は盾で作られていて、540 個もの扉があります。この扉からは、扉ひとつあたり 800 人の戦士が出撃できるといいます。

5 ビルスキールニル　善良な弱者の安寧の地

雷神トールが所有する館。中には 540 個もの部屋があり、アースガルズのみならず、北欧神話の世界に存在する人工の館としては最大のものだとされています。

一説によれば、トールはヴァルハラに行けるほど身分の高くない一般農民や奴隷階級の善良な人間を、死後にこの館に招き入れるのだといいます。

6 イザヴェル平原　神々が集い楽しむ広場

アースガルズの中心にある神々の集会場です。アース神族の神々は、ここに集まって世界の行く末を相談したり、宴会やゲーム大会を開きます。

最終戦争ラグナロクによってアースガルズも崩壊しますが、イザヴェル平原は無傷のまま残り、生き残った神々が集まって昔を懐かしむといいます。

下に見えるのがビフレストの橋デス！でもこの橋はミズガルズっていう世界につながってるから、今回は見るだけで使わないのデス。その前に残りふたつの天上世界へご案内するデスよ！

9世界ツアー
2nd world

ヴァナヘイム

別名：ヴァナランド

アースガルズがある天上世界には、神様が住んでいる世界がもうひとつありますデス。
アース神族のライバルにして同盟者、ヴァン神族の皆様が住む「ヴァナヘイム」デスよ。

ヴァン神族といえば、フレイヤ様やフレイ様ね！　ふたりはヴァン神族とアース神族が仲直りするためにアースガルズに来てくれたのよ。
……でも、ふたり以外のヴァン神族って私ぜんぜん知らないわね。

豊穣神“ヴァン神族”の住む世界

ヴァナヘイムは、アース神族のライバルであり、ともに巨人族と戦う同盟者でもある「ヴァン神族」の神々が住む世界です。

ヴァン神族とは、北欧の農民たちに幅広く信仰されていた神で、作物の豊かな実りや、家畜が子供をたくさん産むという「豊穣《ほうじょう》」を保証してくれる神の一族です。美形と知恵者ぞろいで、魔法を巧みに使うのがヴァン神族の特徴です。

ただし北欧神話の物語には、ヴァン神族のすみかであるヴァナヘイムがどんな世界なのかはまったく描写されていません。「ヴァン神族はヴァナヘイムに住んでいる」という説明があるのみです。ヴァン神族出身の神であるフレイヤ(➡p26)やフレイ(➡p168)は、ヴァナヘイムで生まれ、その後アース神族とヴァン神族の同盟にあたって、人質交換でアースガルズにやってきました。

北欧神話種族解説②　ヴァン神族

ヴァン神族のヴァンとは「光り輝く者」を意味します。彼らはアース神族とライバル関係にある神の一族で、かつてはアース神族と戦争を行ったこともありますが、現在はおたがいに人質を送りあって同盟を結んでいます。このときアース神族に送り込まれたのが、ヴァルキリーの主人である愛と美の女神フレイヤと、豊穣神フレイの双子神です。

ヴァン神族の種族としての特徴は、みな外見が美しく、魔法の使い手が多いことです。神話ではヴァン神族は「未来を見通す力がある」とされています。また、すべての神が作物の実りや家畜の多産を保証する「豊穣神」の性質を持っています。

9世界ツアー
3rd world

アールヴヘイム

別名：アルフヘイム、ヴィーズブラーイン？

次にご案内するのは、３つ目の天上世界アールヴヘイムなのデス。この世界は天上世界のなかでひとつだけ、神様じゃない種族が住んでます。アールヴっていう、自然が大好きな穏やかな妖精さんたちデスよ。

「アールヴ」という名前では知っている者は多くないだろうな。
現代の人間たちにとっては「エルフ」という呼び名を使った方が、ピンとくる者が多いのではないか？

妖精の住む天上世界

アールヴヘイムはアースガルズ、ヴァナヘイムに次ぐ３つ目の天上世界で、「アールヴ」と呼ばれる妖精の種族の住む世界だとされています。この世界は、ヴァン神族の豊穣神フレイ（➡p168）がまだ幼かったころ、フレイに歯が生えたお祝いとして与えられました。ここにはフレイの住居である館が建っており、この館自体もアールヴヘイムと呼ばれています。

ただしアールヴヘイムについての記述は、北欧神話にはほとんど書かれておらず、この世界がどんな世界なのかは謎に包まれています。わずかに『ギュルヴィたぶらかし』に、「アールヴのすみかは第三の天“ヴィーズブラーイン”だ」とする記述がありますが、この単語はほかの神話にはまったく見られないため、アールヴヘイムが本当に「第三の天」にあるのかどうかも定かではありません。

北欧神話種族解説③　アールヴ

アールヴは、人間に似た姿を持つ妖精の種族です。『新エッダ』の『ギュルヴィたぶらかし』によれば、光り輝く「光《リョス》アールヴ」と、暗い肌の「闇《スヴァルト》アールヴ」がいるとされ、アールヴヘイムに住んでいるのは光アールヴのほうです。英語読みは「エルフ」であり、現在では自然とともに暮らす妖精として有名になっています。

作物の実りや家畜の多産などの「豊穣」と深い関係があり、ヴァン神族の下級神と考えられることがあります。現実世界の北欧では、農民たちが「アールヴ犠牲祭」という祭りを行い、信仰の対象にしていました。

9世界ツアー
4th world

ミズガルズ

別名：ミッドガルド

アースガルズからビフレストの橋を渡れば、そこは人間の住む世界ミズガルズデス！　ミズガルズは、これまでの天上世界とは違って、でっかい大陸の中心部分だけがミズガルズと呼ばれてます。境界の外側には別の世界も広がってるデスよ。

人間たちが住む世界

ミズガルズは、お爺様たちアース神族の神様が、わざわざ人間のために作ってあげた世界なんだって！

ミズガルズとは「中央の囲い」という意味で、世界樹の中層にある巨大な大陸の、中心部分を占める世界です。ミズガルズの外周には、世界の名前の由来ともなった長大な柵「ミズガルズ」が張り巡らされていて、この柵の外は、人ならざる者が住む化外の地“ウートガルズ”と呼ばれています。ミズガルズのある大陸は世界の中心であり、ほかの多くの世界へつながる通路があります。

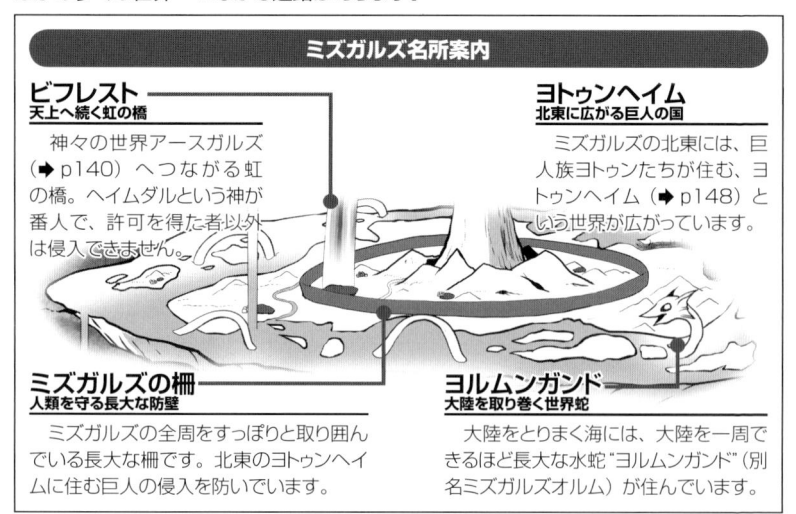

ミズガルズ名所案内

ビフレスト
天上へ続く虹の橋

神々の世界アースガルズ（➡ p140）へつながる虹の橋。ヘイムダルという神が番人で、許可を得た者以外は侵入できません。

ヨトゥンヘイム
北東に広がる巨人の国

ミズガルズの北東には、巨人族ヨトゥンたちが住む、ヨトゥンヘイム（➡ p148）という世界が広がっています。

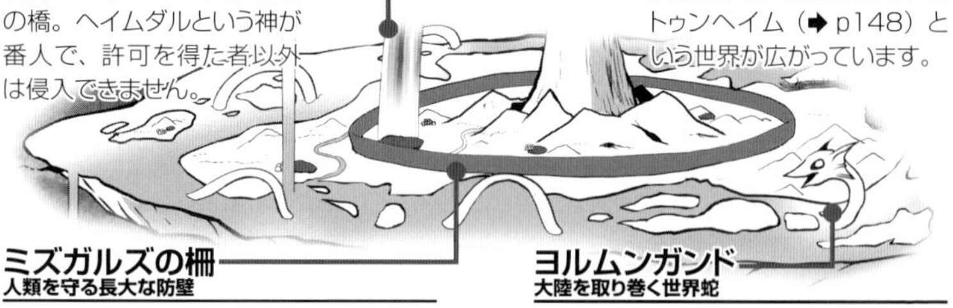

ミズガルズの柵
人類を守る長大な防壁

ミズガルズの全周をすっぽりと取り囲んでいる長大な柵です。北東のヨトゥンヘイムに住む巨人の侵入を防いでいます。

ヨルムンガンド
大陸を取り巻く世界蛇

大陸をとりまく海には、大陸を一周できるほど長大な水蛇“ヨルムンガンド”（別名ミズガルズオルム）が住んでいます。

“ミズガルズ”はまつ毛の名前

ミズガルズを取り囲んでる柵って、巨人のまつげからできてるんだって！
こんなにぶっといまつ毛を生やしてるってことは……すっごいでっかい巨人さんだったんだって気がするよ！

北欧の創世神話によれば、われわれ人類が住むミズガルズの大地と空は、世界で初めて生み出された巨人「ユミル」の死体からつくられたものです。

アース神族の最高神であるオーディンがまだ最高神の地位を手に入れていなかった古い時代、オーディンとふたりの兄はユミルを殺害し、その肉から大地を、骨から山を、血液から海と川を、頭蓋骨から天空を、脳みそから雲を作り出しました。そして大陸の辺境に住み着いた巨人の末裔《まつえい》から、大陸の中央に住み着いた人類を守るため、ユミルのまつ毛を地面に植えて、ミズガルズ“中央の囲い”を作りあげたのです。

争いの絶えない世界

せっかく柵で巨人から守られて安全になったのに、ミズガルズっていつ見ても戦争してるよね。……え、それもオーディン様の策略？
ちょっ!?　お爺様なにやってんのー!?

長大な柵によって巨人族から守られているミズガルズですが、人間どうしの争いが絶えることがありません。実はミズガルズという世界は、巨人から人間を守るための城塞であるのと同時に、最高神オーディンが優秀な戦士を育てるための箱庭でもあるのです。

オーディンは、将来やってくる最終戦争「ラグナロク」に備えて、神々の兵士として戦う優秀な戦士を求めています。オーディンはミズガルズの人間たちに不和の種をばらまき、戦争を起こすことで、すぐれた戦士を育成し“収穫”しているのです。

守護神は雷神トール

そんなわけでお爺様に実験場にされちゃってるミズガルズの人間たちだけど、捨てる神あれば拾う神ありってわけで、人間を熱心に守ってくれる神様がいるわ。それがアース神族最強の戦神、雷神トールおじさまよ！

トールおじさまは、ミズガルズが外敵に攻められそうになると、アースガルズから降りてきて人間を守ってくれるの。しかもそれだけじゃないわ。トールおじさまはしょっちゅうミズガルズの柵を越えて、巨人が住んでるヨトゥンヘイムに遠征して、巨人たちを自慢のハンマーでガツンと叩き殺して、数が増えないように間引いてるのよ。人間たちは、もっとトールおじさまに感謝しないとダメね！

9世界ツアー
5th world

ヨトゥンヘイム

別名：ヨーツンヘイム

はい、お客様、無事にミズガルズの柵を越えられたデスね？　ここから先は雪と氷の世界、ヨトゥンヘイムなのデス。上着を新調するなら今のうちにしたほうがいいと思います、この先は、も～っと寒い世界にも行きますデスよ～？

え～、ここより寒い世界があるの～？

雪と氷の世界とはいっても、人間が住んでるミズガルズと地続きデスので。
世界樹の下層にある寒い世界は、もっと も一っと寒いデスよ？

防寒具は私の手の者に用意させておくから安心しなさい。
さあ、われわれヴァルキリーはめったに足を踏み込まない、ヨトゥンヘイム観光を楽しもうじゃないか。

“霜の巨人”と“狼の巨人”が住む世界

ヨトゥンヘイムは巨人の住む世界だ。
ひとくちに巨人と言っても、実態はいくつかの種族に分かれているようだな。

ミズガルズを囲む柵の外側は、人間の文化は及ばず、魔物や巨人たちが住む危険な場所です。このミズガルズの外側の世界は「ウートガルズ」と呼ばれています。

ウートガルズの外側には巨大な海があり「ミズガルズ蛇」の異名で知られる大蛇「ヨルムンガンド」が住み着いています。

ウートガルズのなかでもミズガルズの東から北にかけては、巨人（ヨトゥン）たちの居住地になっています。

ヨトゥンヘイムに住む巨人の種族

●霜の巨人（ヨトゥン）

寒冷な地域に住む巨人。おもにヨトゥンヘイムとニヴルヘイムに住んでいます。

●山の巨人（ベルグリシ）

巨人族のひとつ。しばしば神話に霜の巨人と並んで名前があがりますが、霜の巨人とどう違うのかは書かれていません。

●狼の巨人

おもにヨトゥンヘイム東部のイアルーンヴィズの森に住んでいます。

ヨトゥンヘイム名所案内

ヨトゥンヘイムの名所は「厳しい自然」って言葉がピッタリはまるわね。
こんな危ないところにひ弱な人間が迷い込んだら大変よ、気をつけなさい！

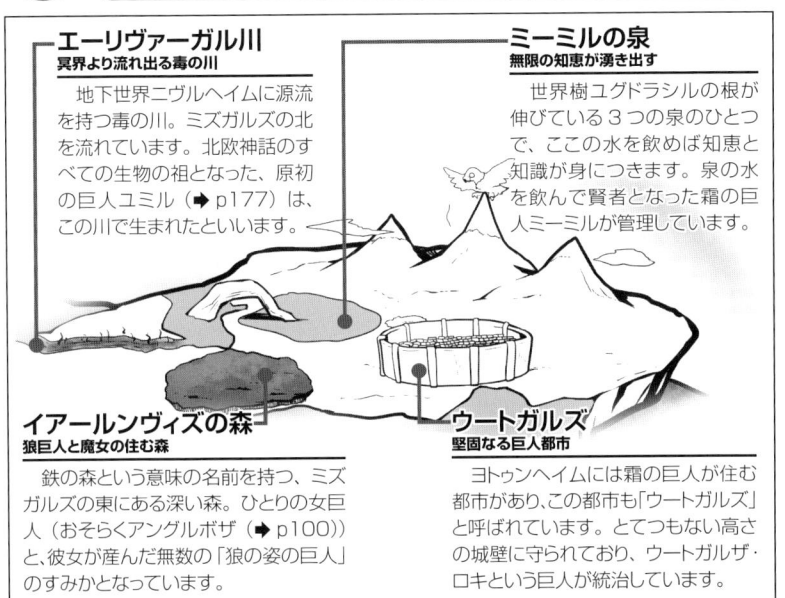

エーリヴァーガル川

冥界より流れ出る毒の川

地下世界ニヴルヘイムに源流を持つ毒の川。ミズガルズの北を流れています。北欧神話のすべての生物の祖となった、原初の巨人ユミル（➡ p177）は、この川で生まれたといいます。

ミーミルの泉

無限の知恵が湧き出す

世界樹ユグドラシルの根が伸びている３つの泉のひとつで、ここの水を飲めば知恵と知識が身につきます。泉の水を飲んで賢者となった霜の巨人ミーミルが管理しています。

イアールンヴィズの森

狼巨人と魔女の住む森

鉄の森という意味の名前を持つ、ミズガルズの東にある深い森。ひとりの女巨人（おそらくアングルボザ（➡ p100））と、彼女が産んだ無数の「狼の姿の巨人」のすみかとなっています。

ウートガルズ

堅固なる巨人都市

ヨトゥンヘイムには霜の巨人が住む都市があり、この都市も「ウートガルズ」と呼ばれています。とてつもない高さの城壁に守られており、ウートガルザ・ロキという巨人が統治しています。

北欧神話種族解説④　霜の巨人

霜の巨人は、北欧神話に登場するいくつかの巨人族のなかで、もっともよく神話に登場するポピュラーな巨人族です。彼らは巨人の国ヨトゥンヘイムや、極寒の地下世界ニヴルヘイムなど、非常に寒い場所に住んでいます。

一般的に、霜の巨人は醜くて巨大な人間の外見で、力が強く、邪悪な精神の持ち主だとされています。ただし頭や腕が複数ある者、人間と変わらない身長の者なども神話に登場しています。

霜の巨人は人類と神々を敵視していますが、常に緊迫した敵対関係というわけではありません。アース神族の神が巨人の妻をもらったり、逆に巨人が女神フレイヤに結婚を申し込むなど、両者は敵でありながら血縁関係にもあるのです。

9世界ツアー
6th world

ニザヴェリル

別名：ニダヴェーリル、スヴァルトアールヴヘイム

さあお客様、次はミズガルズのある大陸から地下に潜っていくのデスよ。世界樹の下層には、9世界のうち4つの世界がありますデス。まずは鉱山と貴金属と職人の世界、ニザヴェリルにご案内～。特に女性のお客様には気に入っていただけること間違いなしデス！

うわ～、すっご～い！
ぜんぶ金ピカのお屋敷があるよ！ これぜんぶ金なの？

ドヴェルグ(小人族)の住む世界

ニザヴェリルは、人間たちが住む大陸の地下に存在する世界です。別名を「スヴァルトアールヴヘイム」といいます。(“闇アールヴの世界” という意味。闇アールヴについては右のページを参照)

神話にはニザヴェリルがどんな世界なのかは描写されていませんが、この世界に住む大地の妖精「ドヴェルグ」たちがしばしば黄金や貴金属を取り扱うことから、鉱山のようなものがあると想像できます。

代表的な建物としては、赤い黄金から作られ、善良な者だけが住めるという館「シンドリ」などがあります。

鍛冶師として働くドヴェルグたち。1871年、イギリス人画家W.J.ウィーガンドの作品。

特産品は魔法のアイテム

やったぁ！ 念願のニザヴェリル工房見学！
ドヴェルグのみなさんってすごいんですよ！ アース神族の神様たちでも作れないような、すごい性能の武器やアイテムをどんどん作っちゃうんです！

北欧神話に登場する強力なアイテムは、ほとんど全部、ドヴェルグの職人たちが作ったものデス！ 北欧神話最強の武器、雷神トール様のハンマー「ミョルニル」も、ブロックとシンドリっていう双子のドヴェルグが作ったものデス。

ドヴェルグたちって武器だけじゃなくてアクセサリも得意なんだって、フレイヤ様の「ブリーシンガメンの首飾り」とかね！
ねえねえスクルド様もなんか作ってもらおうよー！

北欧神話種族解説⑤　ドヴェルグ

ドヴェルグは、地下世界ニザヴェリルや、洞窟の中などに住む、小柄な妖精の種族です。彼らが日の当たる場所にあらわれないのは、太陽の光を浴びると死んでしまう（一説によると石化する）からだといわれています。ドヴェルグは優秀な職人であり、魔力のこもった武器や宝物を製作できることで知られています。北欧神話の特別な物品のほとんどはドヴェルグ製です。

彼らは原初の巨人ユミル（➡p177）の死体から生まれたウジ虫のような存在でしたが、神々に人間に近い姿と知性を与えられました。ただし彼らは神々の下僕ではなく、独自の価値観で行動しており、神々にもしたたかな交渉を行います。

『新エッダ』では別の名前

ニザヴェリルという名前は、『古エッダ』と『新エッダ』のなかでは、『古エッダ』でもっとも重要な神話である『巫女の予言』にしか登場しません。『新エッダ』では、ニザヴェリルによく似た地下世界「スヴァルトアールヴヘイム」という世界が紹介されています。この世界に住んでいるのはドヴェルグではなく、スヴァルトアールヴ、すなわち「闇エルフ」と呼ばれる種族です。

スヴァルトアールヴヘイムは、『古エッダ』のニザヴェリルと同じように、魔法のアイテムの名産地として知られています。『新エッダ』の『ギュルヴィたぶらかし』には、アース神族の最高神オーディンが、凶暴な狼フェンリル（➡p175）を捕らえるために、この世界でグレイプニルという決して切れないヒモを作らせたという神話が紹介されています。

不思議なのは、スノリは『新エッダ』のなかで、スヴァルトアールヴとドヴェルグを同時に出演させている一節があることだ。結局スヴァルトアールヴとドヴェルグは同じ種族なのか、それとも違うのか？　はっきりしてもらいたいものだ。

光《リョス》アールヴと闇《スヴァルト》アールヴ

『新エッダ』の作者であるスノリ・ステュルルソンは、北欧の妖精「アールヴ」にはふたつの種類がいるという新しい概念を生み出した。アールヴヘイムに住むアールヴたちは「リョスアールヴ」すなわち光のアールヴであり、地下世界には「スヴァルトアールヴ」すなわち闇のアールヴが住んでいるという。

昨今の創作作品に登場する「ダークエルフ」という種族は、この闇アールヴを参考にして作られたそうだ。ただし「闇アールヴ」の外見は光アールヴとはまったく似ていない。肌が黒いだけでなく、「外見がかなり違う」と明言されているぞ。

9世界ツアー
7th world

ムスペルスヘイム

別名：ムスッペルスヘイム

お客様、ここから先は７番目の世界、ムスペルスヘイムなのデス。中に入る前に、全身にこのクリームを塗るデスよ。ムスペルスヘイムはとっても熱いので、原住種族のムスッペル以外は、いるだけで全身ヤケドしちゃうのデス。

ほんとどうなってるのよこの世界……近づいただけで汗でグショグショじゃない。こんなところで暮らしてるムスッペルって、いったいどんな種族なのかしら？

異邦人を拒《こば》む灼熱《しゃくねつ》の世界

ムスペルスヘイムは、炎巨人ムスッペルたちが暮らす世界です。神話にはその所在地ははっきりと書かれていませんが、地下世界ニヴルヘイム（➡p154）と隣りあっていることから、世界樹のなかでも下層に存在する世界だと思われます。

この世界は絶えず炎や火花が飛び散っている灼熱の世界で、ムスペルスヘイムで生まれた者以外は近づけないとされています。

ムスペルスヘイム名所案内

ギンヌンガ・ガップ
熱と冷気がぶつかりあう裂け目

ムスペルスヘイムとニヴルヘイムの中間には、この巨大な裂け目があります。北欧神話の初期に登場するものの多くは、両方の世界から流れ出た熱気と冷気の衝突によって生まれました。

ミュルクヴィズの森
灼熱界を区切る闇の森

神話によれば、ムスペルスヘイムと「神々の住居」、つまりアースガルズを隔てるとされる森。この森は「神々の住居」の南側にあるそうです。

飛び散る火花
太陽と月の材料に

灼熱の世界であるムスペルスヘイムでは、常に火花が飛び散っています。太陽や月は、この火花を材料にして神々が作り出したものです。

北欧神話種族解説⑥　ムスッペル

ムスペルスヘイムの原住種族であるムスッペルは、俗に「炎巨人」と呼ばれる種族で、巨人（ヨトゥン）の一種だと考えられています。炎巨人というと全身が燃えているようなイメージがありますが、『古エッダ』や『新エッダ』には、ムスッペルの外見について説明する記述は一切無く、その特徴は謎に包まれています。ムスッペルの首領は「スルト」（➡ p169）という強力な戦士で、剣または炎を武器とし、神々をも圧倒する強さの持ち主です。

神話の記述を見ると、ムスッペルが彼らの世界から外に出てくることはありません。しかし最終戦争ラグナロクでは、独特の陣形を組んでアースガルズに攻め込んでくるといいます。

ムスペルスヘイムは“灼熱の世界”ではない？

ムスッペルたちが一般的に炎巨人と呼ばれるのは、彼らが灼熱の世界ムスペルスヘイムでも問題なく生きていけると『新エッダ』に書かれているからです。

ところが、20 世紀初頭に活躍したデンマークの神話学者アクセル・オルリックが著書《北欧神話の世界》で説明するところによれば、ムスペルスヘイムが灼熱の世界だという記述は、『新エッダ』より古い神話にはまったく見あたらないというのです。

スノリ・ステュルルソンの『新エッダ』以前の神話では、ムスペルスヘイムやムスッペルと火を結びつける記述は「ムスッペルの頭領であるスルトが炎を武器にしている」こと以外に存在しません。そのためスノリ以前の北欧の神話で、ムスッペルが本当に「炎巨人」と考えられていたかはわからないのです。そして前述の理由から、ムスペルスヘイムが古くから「灼熱の世界」として知られていたのかどうかも定かではありません。

この説を提唱したアクセル・オリックは、もともとムスッペルという単語は「破滅」を意味する単語であり、これがスノリ、あるいはその少し前の詩人によって炎と結びつけられたと考えています。

ラグナロクでの役割も、神話の制作年代ごとに大きく違うようだな。スノリという人間が書いた『新エッダ』の『ギュルヴィたぶらかし』では、ムスッペルはスルトに率いられて南から進軍してくるが、『古エッダ』の『巫女の予言』では……。

あれ、『巫女の予言』だとムスッペルは東から攻めてきてるじゃない。しかも親玉のスルトと別行動してるってどういうこと？
これじゃ、スルトがムスッペルのボスなのかどうかも怪しいじゃない！

どうにもムスッペルは謎が多い巨人なのデス。
そろそろクリームの効果が薄くなってくるころデス。この「ギンヌンガ・ガップ」の裂け目を越えて、次の世界へ行くのデスよ！

9世界ツアー
8th world

ニヴルヘイム

別名：－

皆様、下をご覧くださいデス！　これが世界樹名物、ギンヌンガ・ガップの裂け目なのデスよ。ムスペルスヘイムからギンヌンガ・ガップの裂け目を超えて向こう側に行けば、そこが極寒の地下世界、死者の旅するニヴルヘイムなのデス。

ギンヌンガ・ガップと、その両隣にあるムスペルスヘイムおよびニヴルヘイムは、すべての世界のなかでもっとも初期から宇宙に存在していたのだそうだ。

そして裂け目の先にあるニヴルヘイムは……うう～、ムスペルスヘイムの隣とは思えないくらいさむいよ～！
しかも暗いし湿度高いし、なんか骨まで凍っちゃいそう……。

北欧神話最古の世界

世界で最初の生物は、ニヴルヘイムとムスペルスヘイムの間にあるギンヌンガ・ガップで生まれた「原初の巨人ユミル」と「原初の雌牛アウズムブラ」だ。世界そのものも、そこで暮らす生き物たちも、すべてこのふたりから生まれたのだ。

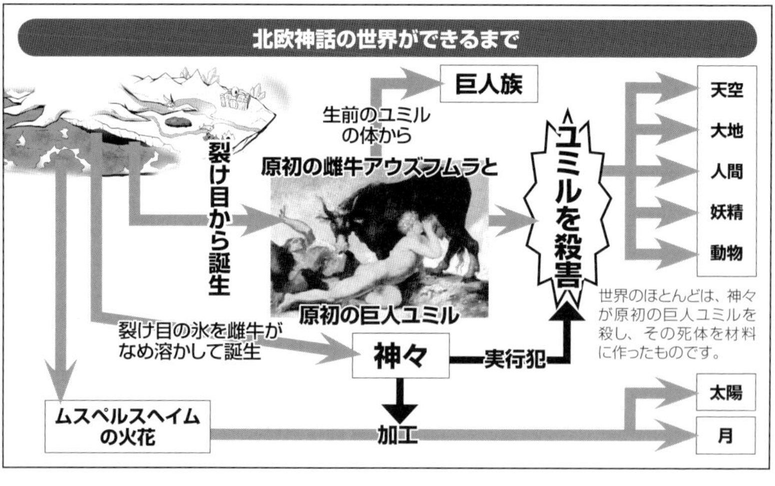

世界の水源を擁する地

みなさんが毎日ゴクゴク飲んだり、水浴びをしている「水」どこから来たものか知ってるデスか？　実はこの世の全部の水は、このニヴルヘイムにある「フヴェルゲルミルの泉」から湧き出したものなのデス！

ニヴルヘイムとは「霧の住み処」という意味です。氷に覆われた地下世界で、149ページでも紹介した霜の巨人たちが住んでいます。この世界には世界樹の根が伸びている泉のひとつ「フヴェルゲルミルの泉」があり、ここから11本の川が流れ出ています。これらの川は世界樹の各世界につながり、世界のあらゆる水の源となっているのです。

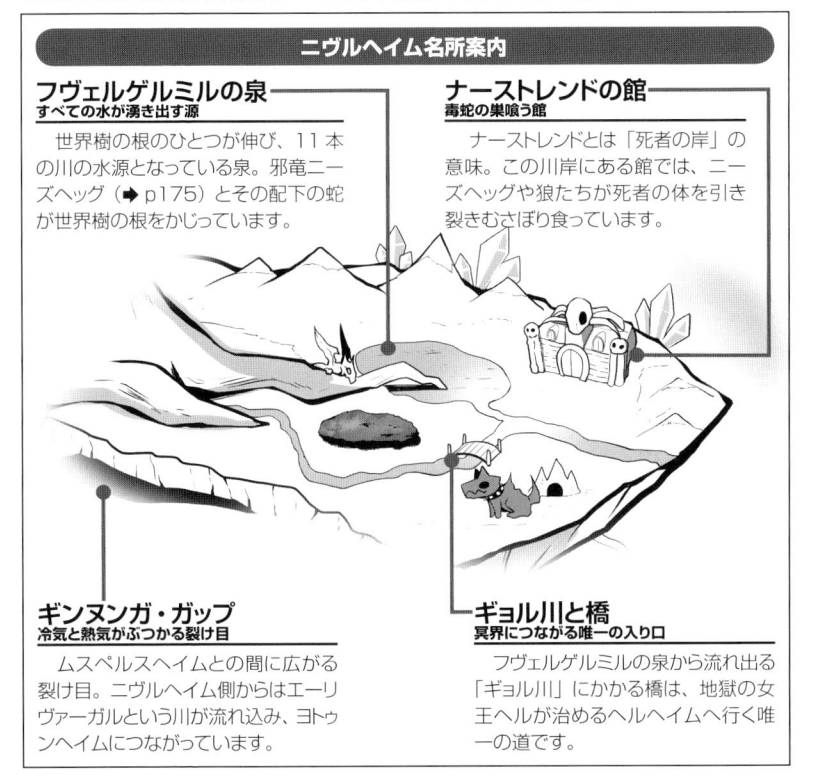

ニヴルヘイム名所案内

フヴェルゲルミルの泉
すべての水が湧き出す源

世界樹の根のひとつが伸び、11本の川の水源となっている泉。邪竜ニーズヘッグ（➡ p175）とその配下の蛇が世界樹の根をかじっています。

ナーストレンドの館
毒蛇の巣喰う館

ナーストレンドとは「死者の岸」の意味。この川岸にある館では、ニーズヘッグや狼たちが死者の体を引き裂きむさぼり食っています。

ギンヌンガ・ガップ
冷気と熱気がぶつかる裂け目

ムスペルスヘイムとの間に広がる裂け目。ニヴルヘイム側からはエーリヴァーガルという川が流れ込み、ヨトゥンヘイムにつながっています。

ギョル川と橋
冥界につながる唯一の入り口

フヴェルゲルミルの泉から流れ出る「ギョル川」にかかる橋は、地獄の女王ヘルが治めるヘルヘイムへ行く唯一の道です。

モーズグズさん、はい、許可証。いつもおつとめご苦労様なのデス。
さあおお客様、門番さんの入国チェック完了なのデス。ギョル橋を渡ってさらに地下に行きましょう。最後の目的地にご案内するデスよ！

9世界ツアー
9th world

ヘルヘイム

別名：ニヴルヘル、ヘル

みなさん、Y.T.B. 世界樹満喫９世界ツアーをご利用いただきありがとうデス！　ここがツアーの最終目的地、世界樹の底にある死者の世界ヘルヘイムなのデス。死者の魂だけが暮らしている、寒くてくらーい世界なのデスよ。

世界の最下層にある死者の国

ヘルヘイムの支配者は冥界女王ヘル様。ヘル様の支配する世界だからヘルヘイムっていう名前なのよ。わかりやすいわね。

アース神族からの使者を迎える女王ヘル。1909年、イギリス人画家ジョン・チャールズ・ドルマン画。

ヘルヘイムは、ニヴルヘイムの「ギョル川」を越え、グニッパヘリルの洞窟を抜けた先にある地下世界です。ニヴルヘイムよりもさらに下層にあり、暗く恐ろしい場所だと紹介されています。

ヘルヘイムは死者の住む世界であり、死者の女王と呼ばれる女神ヘルに統治されています。また、この世界には北欧の巫女たちの墓地があり、最高神オーディンは巫女たちの助言を聞くためにしばしばここを訪れます。

ニヴルヘイムとヘルヘイムは同じ世界？

ヘルヘイムには「ヘル」とか「ニヴルヘル」っていう別名があるんだって。“ニヴル”って聞いたことあるでしょ？　そうよ、ニヴルヘイムの「ニヴル」と同じなの。

ニヴルヘイムとヘルヘイムって、どっちも死んだ人間が暮らす、暗くて寒い世界だから、まとめてひとつの世界だーって主張する人がけっこういるらしいのね。その場合は「９つの世界」が８つに減るから、150ページで紹介した「ニザヴェリル」と「スヴァルトアールヴヘイム」を別の世界って扱いにして、９つの数にあわせるみたいよ。

９つの世界ってもっとキチッキチッと決まってるものだと思ったら、わりといい加減なのねえ。

死者の国への巡礼ルート

北欧神話の世界では、一部の選ばれた死者を除いて、死んだ人間の魂はこの「ヘルヘイム」にある「エリューズニルの館」に向かうことになっている。ミズガルズから館まで、死者の旅の様子をレポートしよう。

1 ミズガルズから降下

死者の魂のうち、ヘルヘイムに行く魂は、何らかの方法（具体的な方法は不明）でニヴルヘイムまで降りてきます。

2 ギョル橋を越える

死者はギョル川にかかる橋を越えて、ナーストレンドという岸辺に向かいます。橋ではモーズグズ（➡p102）という女巨人が、死者以外が橋を渡らないよう見張っています。

3 グニパヘリルの洞窟

橋を越えた死者は、グニパヘリルという洞窟を通ってヘルヘイムに入ります。洞窟の前にいる番犬ガルムは、無意味にヘルヘイムに入る者を追い払い、死者をヘルヘイムに閉じ込めるのが役目です。

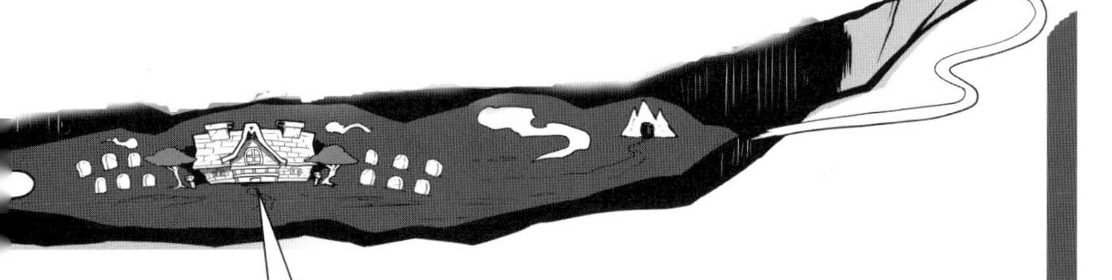

4 ヘルの館“エーリューズニル”へ

無事にヘルヘイムにたどりついた死者は、この世界の支配者ヘルの屋敷“エーリューズニル”で永遠に暮らすことになります。ただしこの屋敷での暮らしは、不吉な名前をつけられた家具や食器に囲まれ、快適なものではありません。

死者のなかで、このようにヘルヘイムに送られるのは、病気で死んだ者と寿命で死んだ者です。

ただし戦死者はヴァルハラに、誠実な心の持ち主は、ヘルヘイムではなく、天上世界にあるギムレーやヴィンゴールヴ（➡p142）に招かれるとされています。

守ろう！ みんなの世界樹

みなさんおつかれさまデス！　これにて「Y.T.B. で行く！　世界樹満喫９世界ツアー」は全目的地での観光を終了しますデス！
あとは特設ゴンドラでアースガルズに帰るのデスよ～。

はーい、ガイドありがとー！
おもしろかったねー！　わたしたちアースガルズとミズガルズくらいにしか行かないから、ほかの世界ってはじめて見たよ～。

それはよかったのデス！
９つの世界にはまだ紹介していないものもあるので、ボーナスが入ったらぜひまた Y.T.B. をご用命よろしくお願いしますデス。

（ゴンドラの窓を眺めて）
あーっ!!　あいつら～っ！

ん？　どうかしましたかスクルド様？

あそこの蛇たちよ！　あいつら、世界樹の根っこバリバリかじって世界樹を弱らせちゃうのよ！　ウルズお姉様がいつも愚痴ってるんだから。
ちょっとゴンドラ止めて～っ！　とっちめてやる！

　世界樹ユグドラシルは、世界を包み込む存在であるのと同時に、一部の生物に食べられる餌でもあります。ユグドラシルはこれらの生物による食害で健康を害しており、アース神族の一員である運命の女神ウルズが、アースガルズのウルズの泉で治療を行い、世界樹の健康を保っています。

ユグドラシルを痛めつける生物

- **邪竜ニーズヘッグ**
　世界樹の根をかじる
- **四頭の牡鹿**
　世界樹の樹皮を食べる
- **山羊ヘイズルーン**
　世界樹の若芽を食べて、エインヘルヤルが飲む蜜酒を生み出す

ウルド様の妹さんデシたか、がんばってくださいとお伝えくださいデス。
ユグドラシルが枯れちゃったらお仕事なくなっちゃうのデス！

うう～、ユグドラシルが枯れちゃったら大変だし、私もウルズお姉様のお仕事を手伝わないとダメなのかしら……。
ただでさえヴァルキリーのお仕事がいそがしいのに～!!

北欧神話の９世界は地上にあった!?

さて、ここまで「北欧神話の異世界は世界樹の中にある」という前提で話をしてきたわけだが、実はより古い神話では、北欧の人々は、異世界は人間の住む大地と地続きだと考えていたのではないかという疑いがある。

ええっ、それどういうこと？
「この山のてっぺんがアースガルズ」とかだったりするわけ!?

神話の舞台は地上だった？

かつて人間の行動範囲が今よりずっと狭かった時代、北欧の人々は、神々や異種族が住む世界は、人間の住む世界と地続きだと考えていました。

例えば一部の神話では、神々の住む地アースガルズは、ミズガルズにある山の頂上に存在すると書かれていることがあります。また、「ミズガルズの北と東にヨトゥン（巨人族）が住んでいる」といわれるのは、北や東に住む異民族、別部族を指してヨトゥンと呼んだものだと考えられます。

神話の舞台を「探した」人々

時代が進み、ヨーロッパやアジアの存在を北欧の人々が広く知るようになると、「神話に登場する異世界とはどこにあったのか」という探求が始まります。
『新エッダ』の作者であるスノリ・ステュルルソンは、ノルウェー王家の歴史書『ヘイムスクリングラ』収録の『ユングリング家のサガ』で、ヴァナヘイムはロシア南西部のドン川流域に、アースガルズはその東、アジアにあったという説を発表しています。

15世紀の北欧の百科事典『グリプラ』では、世界創造の神話ですべてを生み出した裂け目「ギンヌンガ・ガップ」は地球上に実在する地形であるという仮説をあげ、イギリスのはるか北西にある大きな島グリーンランドと、ヴィンランド（北アメリカ大陸北東部のこと）の間にある海を候補にあげています。

ほかにもノルウェーには、「ヨトゥンヘイム山地」なんて地名があるんだって。神話のヨトゥンヘイムと同じで、人口密集地の北にある山地っていうのがまさに「巨人の国」だよね～。

そういえば日本の神話にも、北欧のヘルヘイムと似た死者の世界「黄泉比良坂」があり、島根県にこの名前の坂があると聞いたことがある。日本人も北欧と同じように、神の世界は地上と陸続きだと考えていたのだな。

神様の名前を付けた町も多いわよね。デンマークで３番目に大きな町の名前がオーデンセっていうんだけど、これオーディンお爺様の聖地らしいの。やっぱり神話と土地って切っても切り離せないものなんだと思うわ。

北欧神話は こんな神話！

北欧神話って、どんなお話しなのかな？
……世界が始まってから滅ぶまでのお話？　うーん、スケールでっかいなあ……。

北欧神話ってどんなお話？

北欧神話では、世界に大地と神々が作られてから、反映した世界が「ラグナロク」という最終戦争で滅ぶまでのあいだに起こった、さまざまな事件が物語として語られています。それぞれの物語の主人公は、神々であることもあれば、人間であることもあります。

ラグナロクにて巨狼フェンリルと戦うオーディン。１９０５年、ドイツ人画家エミール・デプラー画。

北欧神話の最大の特徴は、世界の破滅が、未来に起きる不可避の出来事として運命づけられていることです。

人間のお話はココ！

北欧神話の歴史は、ほとんどが神様の活躍によって作られたものなんだって。まあボクらってイズン様のリンゴを食べれば不老不死だから、人間の歴史ってすごい短く感じちゃうんだよね。
人間たちが活躍するお話は、ほとんど全部、右のページのこの時代に起きたものだよ！

北欧神話超あらすじ！

①世界創世

最初の生き物である原書の巨人ユミルと、雌牛アウズフムラが生まれ、そこからオーディンをはじめとする神々が生まれます。神々はユミルの遺体から世界を、流木から人間を生み出しました。

②神々の争い

ヴァン神族の女神グルヴェイグがアース神族の神々に捕らえられたことをきっかけに、両神族は大戦争に突入。その後両神族は和解し、おたがいに人質（➡p26）を送りあう同盟関係になります。

③バルドルの死

太陽神バルドルが計略で殺害され、さらに死からの復活に失敗。主犯のロキは拘束され、その子供たちも封印、殺害されます。この事件は北欧神話の世界が滅亡に向かうターニングポイントとなりました。

④オーディンの暗躍

バルドルを失ったオーディンは、みずからの知恵と魔力を高めたり、人間の戦死者を集めるために地上に不和をばらまくなど、将来の戦争を見すえてさまざまな暗躍をはじめます。

現　代

今、わたしたちが暮らしている21世紀は、ちょうどココにあたるんだって！

⑤ラグナロク

アース神族の本拠地アースガルズに、巨人と怪物の連合軍が攻め込んできます。神々は死に、世界は炎に包まれますが、わずかに生き残った神々と人類が、復活した太陽神バルドルに導かれて新しい時代を作ります。

このページでは、北欧神話の主人公であるアース神族と最高神オーディンを中心に神話のあらすじを紹介した。だが北欧神話はアース神族だけの神話ではないのだ。次のページでは、神の種族やそれ以外の種族について紹介するとしよう。

北欧神話の登場人物

北欧神話の世界には、人間のほかにもさまざまな知的種族が住んでいる。どの種族がどのような関係にあるのか把握しておけば、神話に書かれた物語を一層理解しやすくなるだろう。

北欧神話では、人類はおもにオーディンが率いる「アース神族」の神々を信仰していました。しかし12 ページで解説したとおり、北欧神話にはアース神族にも「ヴァン神族」という神の種族と、神に等しい力を持つ「巨人族」という種族がいます。

アース神族

知恵と死の神であるオーディンが率いる神の一族。住居は天上世界アースガルズです。

さまざまな能力を持つ神が集まり、外見や能力には統一感のない一族ですが、オーディンを除いて男性の神は魔法を使わないという共通点があります。

ヴァン神族

天上世界ヴァナヘイムに住む神の一族で、名前の意味は「光り輝く者」。一族全員が作物の実りや家畜の多産をうながす豊穣神です。

ヴァン神族は魔法の技術に長けており、なかには未来を見通す力を持つ者もいます。

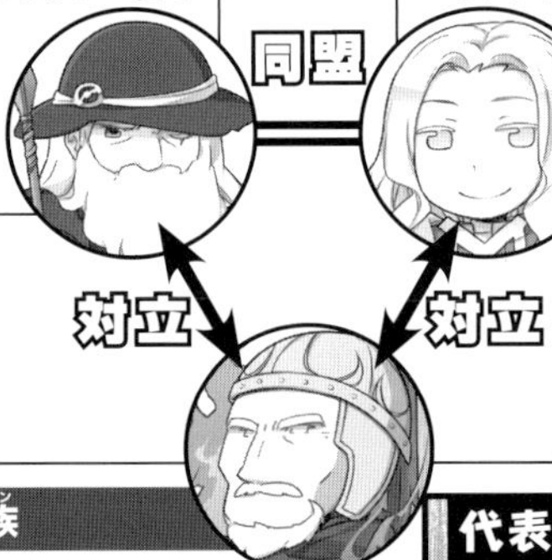

巨人族《ヨトゥン》

神と同等の力を持つ存在で、多くの種族に分けられます。多くの巨人族は巨大な人間の姿をしていますが、女性の身長は人間と変わらない場合もあります。また、鷲や狼など、人間ではなく動物の姿をとる巨人族も珍しくありません。

代表的な巨人の種族

霜の巨人（ヨトゥン）
炎巨人（ムスッペル）
山の巨人（ベルグリシ）

へ～、巨人っていっても、いろんな種類がいるのね！

神と巨人以外の種族

もちろん、北欧神話の世界に生きているのは、神と巨人だけではない。
神や巨人より力は弱いが、多くの種族が暮らしているのだ。

北欧神話の世界には、神や巨人のほかにも、多くの知的種族が暮らしています。その代表格が、ミズガルズに住むわれわれ人間族です。そのほかの知的種族としては、自然を愛するアールヴと、地下に住む職人種族ドヴェルグが有名です。

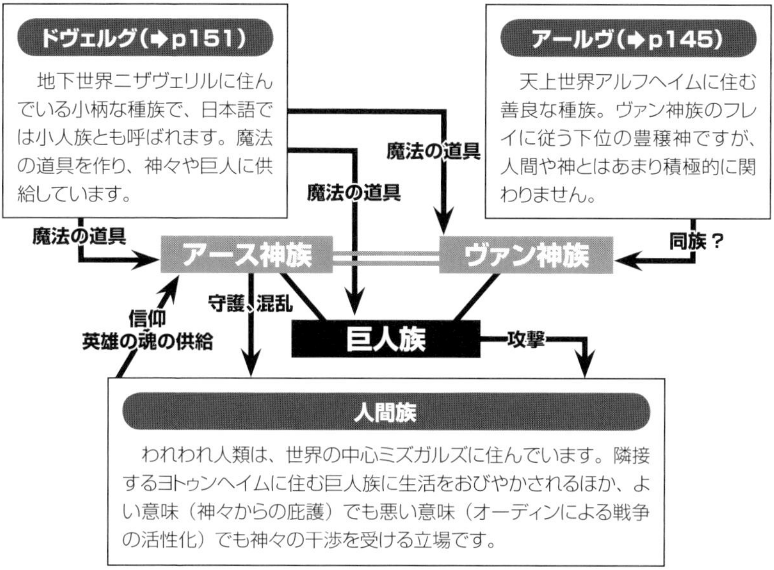
ドヴェルグ(➡p151)
地下世界ニザヴェリルに住んでいる小柄な種族で、日本語では小人族とも呼ばれます。魔法の道具を作り、神々や巨人に供給しています。
アールヴ(➡p145)
天上世界アルフヘイムに住む善良な種族。ヴァン神族のフレイに従う下位の豊穣神ですが、人間や神とはあまり積極的に関わりません。
魔法の道具
魔法の道具
魔法の道具
同族？
アース神族
ヴァン神族
守護、混乱
信仰
英雄の魂の供給
巨人族
攻撃
人間族
われわれ人類は、世界の中心ミズガルズに住んでいます。隣接するヨトゥンヘイムに住む巨人族に生活をおびやかされるほか、よい意味（神々からの庇護）でも悪い意味（オーディンによる戦争の活性化）でも神々の干渉を受ける立場です。

北欧神話の世界には、人間、アールヴ、ドヴェルグ以外にも「知性を持つ動物」が数多く存在します。伝言リスのラタトスク（➡p177）、世界樹をかじる蛇ニーズヘッグ（➡p175）などが代表的です。ただし巨大ワシのフレースヴェルグ（➡p176）のように、動物の姿をとっていても正体は巨人族であるという例もあります。

左のページを見た感じだと「神 vs 巨人」っていうわりと単純な構図に見えたけど、人間みたいなほかの種族まで加えると、結構複雑な関係になってるのね。

そのとおり。神々は偉大で強力な存在だが、それでも人間やドヴェルグを利用しなければ巨人に対抗できないのだ。一説によれば、巨人たちは自然の猛威を人格化した存在だと聞く。自然に立ち向かうのは神々にとっても難事ということだな。

北欧神話V.I.P.名鑑

今回は我々の目的の都合で、ワルキューレや女性の神々を中心に紹介してきたのだが、本来北欧神話は、男性の神が重視される神話だ。北欧神話のことを知りたいのなら、主要な神々のことはきちんと知っておくべきだな。

この章で紹介する神々

この章で紹介するのは、北欧神話に無数に登場する男性神のうち、北欧神話の物語で目立った活躍を見せている７柱＋αの神と巨人です。

特に、北欧神話における最大のイベントである、神々の最終戦争「ラグナロク」で重要な役目を果たす神々を中心に紹介しています。

また末尾では、神々だけでなく、北欧神話の世界に登場する重要な怪物たちも紹介します。

V.I.P.名鑑　目次

やっぱり最初に紹介するのはオーディンお爺さまになるわけね。
それにしてもアース神族の神様が多いみたいね？　ヴァン神族はフレイ様だけだし、巨人もスルトって人だけだわ。

北欧神話の主役はアース神族だ。必然、神話の全体像を知るためには、主役側の神々のことを知っておかなければいけないということになる。
巨人や怪物については「神と怪物の小事典」で紹介するので、そちらで見るといい。

はーい、りょうかいでーす！

オーディン

別名：オージン、ヴォータン
種族：アース神族

アース神族の最高神であるオーディンは、戦争と死の神であり、魔術や詩を得意としています。死の神が最高神であるという事実は、ほかの地域の神話ではあまり見られない、北欧神話の特徴のひとつです。

ローブをまとった老魔術師

アース神族の神々のリーダーは、片目のない魔術の神、オーディンです。絵画などに描かれる場合、オーディンはつばの広い帽子をかぶり、グングニルという投げ槍を持った姿で描かれます。肩には世界の偵察を担当する2羽のワタリガラス「フギンとムニン」、足下には2頭のペットの狼「フレキとゲリ」がつきしたがっています。

アース神族の男性神は、北欧の人々の性格を反映して力強い戦士たちがほとんどですが、オーディンは武勇よりも知識や魔術を追い求める、特に珍しい男神です。その知識欲はすさまじく、飲んだ者が知恵を授かるという「ミーミルの泉（➡p149）」の水をもらうために巨人ミーミルに片目を与えたり、「ルーン魔術（➡p88）」を身につけるために、ユグドラシルの木で首をつり、体をグングニルの槍で貫いたまま、9日9晩の苦行を行うなど、知識と魔術を得るためならあらゆる犠牲を支払いました。ときには罪のない相手をだまして宝物を盗み取ることもあります（➡p106）。

フギンとムニン、フレキとゲリをしたがえたオーディン。1901年、ドイツ人画家ヨハネス・ゲルツ画。

ラグナロクに備え死者を集める

オーディンにとって最大の関心事は、北欧神話の最終戦争「ラグナロク（➡p18）」に備えることです。オーディンは予言の能力を持つ巫女との会話により、将来ラグナロクという戦争が起き、北欧神話の世界が一度滅亡を迎えることを知っています。そのためオーディンは、ラグナロクでアース神族の味方として戦う戦力を集めるため、ワルキューレを使って戦死者の魂を集め、ヴァルハラ宮（➡p143）で鍛錬させているのです。

また特に重要な人物の命を奪うときは、オーディンはみずからミズガルズに出向くことがあります。オーディンは、目当ての戦士や王族を絶対に勝てない戦場に導いて、名誉ある死を与えるのです。

ロキ

種族：アース神族（ヨトゥン出身）

神々がさまざまな事件に巻き込まれる北欧神話の物語では、ほとんどの問題にこの「ロキ」という神が関わっています。気まぐれで意地が悪く、悪知恵がはたらくロキは、北欧神話最大のトラブルメーカーです。

アース神族に混乱と利益をもたらす神

中世アイスランドの写本『SAM66』より、女神ラーン（➡p94）の漁網を改良した網を持つロキ。ロキは発明の神でもあります。

ロキは生まれながらのアース神族ではなく、巨人族の生まれですが、オーディンによってアース神族の一員に迎えられました。外見は美男子なのですが、嘘つきでずる賢い性格で、アース神族の神々や巨人族をだまして宝物を奪うなど、北欧神話の物語で発生するトラブルの原因になっています。

ただしロキがもたらすのは悪いことだけではありません。ロキによる悪事が発覚すると、神々は逃げ回るロキを捕らえ、ロキを脅して事態の解決を強制するのが北欧神話の物語の基本パターンです。

ロキは得意の話術を駆使したり、小人たちに魔法のアイテムを作らせるなどの方法で、自分が生み出した問題を解決します。アース神族の神々が持つ魔法のアイテムや武器の数々、例えば雷神トールのハンマー“ミョルニル”、無限に増える金の腕輪“ドラウプニル”などは、ロキが小人の鍛冶師を口先巧みにだまして作らせたものなのです。

世界滅亡の原因を作る

北欧神話の物語の序盤では、ロキの行動には功罪両面がありましたが、中盤以降のロキの行動は、「ラグナロク」での世界の滅亡に直結する致命的なものが増えていきます。

まずロキは、アングルボザという女巨人に、大蛇ヨルムンガンド、巨大な狼フェンリル、半身が腐った女神ヘルの３名を産ませました。さらに彼は、太陽神バルドル（➡p170）を殺害させ、その復活を妨害します。この罪でロキは地底の洞窟に縛りつけられ、蛇の猛毒を浴び続けるという罰（➡p120）を受けています。

その後ラグナロクにおいては、拘束から解き放たれたロキが巨人族を率いてアースガルズに攻め入り、虹の橋ビフレスト（➡p141）の番人であるヘイムダルと相討ちになって命を落とすことが定められています。

トール

英別名：ソール、ソー
種族：アース神族

雷神にして農耕神でもあるトールは、アース神族の神々のなかでもっとも強い神だとされています。トールは並ぶ者のない怪力で巨人と戦い、ミズガルズを外敵から守る、人間たちの守護神です。

アース神族最強の怪力

燃えるような目と、赤髪赤髭を持つ雷神トールは、オーディンと大地の女神ヨルズの子供であり、アースガルズ最強の戦士です。彼の特徴は並ぶ者のない怪力で、その力はアースガルズの神々すべてを合わせた力よりも強いとされています。

彼を最強たらしめている武器が、「ミョルニル」という有名なハンマーです。伸縮自在で携帯性が高く、投げつけると自動的に手元に戻り、どんな敵をも打ち砕く破壊力があります。また、戦闘だけでなく、癒しや浄化の力まで備わっている優れものです。ただしミョルニルには「柄が短すぎる」という弱点があり、最高の怪力を誇るトールですら、身につけた者の力を倍増させる“メギンギョルズ”という帯を締め、鋼鉄の籠手“ヤールングレイブル”を身につけなければ扱うことができません。

ミョルニルを振るい、大蛇ヨルムンガンドと闘うトール。1906年、デンマーク人画家ローレンツ・フローリヒ画。

トールの最大の弱点は、短気な性格です。自分の意に沿わないことがあると怒りを爆発させ、武力による脅しで事態を解決します。これはかつてトールが“フルングニル”という巨人と一騎討ちをして勝利したとき、フルングニルの武器であった砥石の破片が脳に食い込んだままになっていることが原因だとされています（➡p122）。

ミズガルズの守り神

トールは、巨人たちの侵攻からミズガルズやアースガルズを守るために戦う守護神です。彼は魔法の山羊に引かせた戦車に乗ってアースガルズから降臨し、霜の巨人たちが住むヨトゥンヘイムに遠征しては巨人たちを殺して回ります。また、雷神トールは雷とともに雨をもたらすことから農民たちの守護神でもあり、死せる農民の魂はトールの館に送られることになっていました。北欧の神話や詩にはトールの戦いを描いたものが非常に多く、現在の学説では、北欧ではオーディンよりもトールのほうが多くの人に信仰されていたというのが定説になっています。

フレイ

英字表記：Frey
別名：ユングヴィ
種族：アース神族（ヴァン神族出身）

アースガルズの主要な神であるフレイは、生粋のアース神族ではありません。彼はアース神族のライバルにして同盟者である「ヴァン神族」から、双子の妹とともに人質として送り込まれた神なのです。

豊かな実りと多産の守護神

女神フレイヤの双子の兄であるフレイ。この名前は「主人」という意味のあだ名で、彼の本名ではありません。フレイの本名は「ユングヴィ・フレイ・イン・フロージ」といい、“実り豊かなユングヴィの君”という意味があります。本名の意味からもわかるように、フレイは作物の実りや家畜の多産を保証する豊穣神です。そのためフレイを描いた絵画などには、多くの場合黄金色に輝く豚がともに描かれています。豚は家畜のなかでも特に多くの子供を産むことで有名であり、家畜の多産を保証する神にふさわしい動物です。

ちなみにこの豚はただの豚ではなく、「グリンブルスティ」という名前で、フレイを乗せてあらゆる場所を、それこそ空中や水中でさえも、すさまじい速さで走ることができるといいます。

グリンブルスティを連れたフレイ。19世紀末、ハンガリー人画家ジャック・ライヒ画。

手放された勝利の剣

フレイは神々のなかでも指折りの美男子であり、多くの人々や神々に愛されていました。アールヴたちの住む世界“アールヴヘイム”（➡p145）にるフレイの館は、赤ん坊だったフレイに乳歯が生えた記念として神々に贈られたものだといいます。

みなに愛される貴公子であったフレイですが、意外に女性運は悪く、望んだ女性を手に入れるために大きすぎる代償を支払っています。フレイは一目惚れした巨人族の女性ゲルズと結婚するために、「賢い者が持てばひとりでに戦う」という魔法の剣をはじめとする多額の財産をゲルズの親族に与えてしまいました（➡p108）。

フレイにいくつもの勝利をもたらしてきた魔法の剣を手放した彼は、以降はやむを得ず、剣ではなく鹿の角を武器に戦うようになりました。ラグナロクの戦いでは、炎巨人ムスッペルの首領スルト（➡p169）と戦って敗れてしまいます。もしフレイがまだ魔法の剣を持っていたら、フレイはスルトとの戦いに勝利し、世界樹ユグドラシルが焼かれることもなかったかもしれません。

スルト

種族：ムスッペル

灼熱の炎に包まれた地下世界、ムスペルスヘイム。この世界には炎巨人ムスッペルという種族が住んでいます。スルトはムスッペルのなかでも最強の戦士で、ラグナロクで決定的な役目を果たす運命にあります。

炎の世界を守る巨人

スルトは、ムスペルスヘイムに住む炎巨人ムスッペルのひとりです。152ページで紹介した、ムスペルスヘイムの国境を守る巨人とはこのスルトだといわれています。全身が炎に包まれており、手には太陽よりも明るく輝く剣を握っています。その力は強大で、アース神族の神々のみならず、世界をも滅ぼすほどです。

スルトはきわめて古い時代から生きている炎巨人で、この世にまだ世界樹ユグドラシルがなく、ニヴルヘイムとムスペルスヘイム以外の世界が存在しなかったころからムスペルスヘイムで暮らしていたとされています。ただしスルトは、普段はムスペルスヘイムの国境警備役という役目を果たしており、ほかの世界にあらわれることはありません。またムスペルスヘイム自体、他の世界に住む生き物が暮らせないほど熱い世界なので、神々がムスペルスヘイムを訪れることもまずありません。そのためスルトは、神話の表舞台にほとんど登場しません。わずかに、レーヴァティンという武器の管理者である巨人の女性シンモラ（➡p90）の夫として名前が出てくる程度です。

世界を焼き尽くす炎

炎の剣を振るスルト。1909年、イギリス人画家ジョン・チャールズ・ドルマン画。

スルトは、北欧神話の最終戦争“ラグナロク”において、世界を滅ぼす直接の原因となる運命が定められています。

スノリ・ステュルルソンのまとめた神話『ギュルヴィたぶらかし』では、スルトは炎の剣を手に取り、ムスッペルの軍団を連れてミズガルズの南方から攻め込んできます。そして豊穣神フレイを倒したスルトは、世界樹ユグドラシルに火を放ち、北欧の世界に滅びをもたらすのです。

ただし『ギュルヴィたぶらかし』よりも古い時代の神話である『巫女の予言』では、スルトの持つ武器は剣ではなく、“枝の破滅（炎のこと）”と書かれています。

世界を滅ぼしたスルトがその後どうなったかは、神話には書かれていません。

バルドル

種族：アース神族

光の神であるバルドルは、誰もが認める美男子で、誰よりも愛される神でした。このバルドルが謀略により殺害されたことで、北欧の世界は崩壊に向けて大きな一歩を踏み出すことになりました。

すべてに愛された完全無欠の光明神

最高神オーディンとその正妻フリッグのあいだに生まれた息子バルドルは、容姿が非常に美しく、賢く、雄弁で、優れた能力の持ち主という完璧な神です。そのためアース神族だけでなく、宿敵の巨人族も含めたあらゆる者から愛されていました。

バルドルの住まいはアースガルズにある「ブレイザブリク」という館です。たいへん美しい建物で、穢《けが》れある者は入ることができない神聖な場所とされています。

謀殺された不死身の神

バルドルは不死身の肉体を持つ神でしたが、ロキによって謀殺されました。この事件は北欧神話の世界が衰退していくきっかけになった重大事件であると同時に、死者の世界ヘルヘイムについて知るための貴重な資料になっています。

神話によれば、神々は皆に愛されるバルドルが死ぬことがないよう、すべての生き物や無生物に「バルドルを傷つけない」と誓わせることで、バルドルに不死身の肉体を与えました。ですが“ヤドリギ”という木だけは、幼すぎたために誓いを立てておらず、これがバルドルの唯一の弱点でした。これを知ったロキは、盲目の神ヘズをだましてヤドリギの枝を投げつけさせ、ヤドリギに心臓を貫かれたバルドルは死んでしまいます。

神々は皆に愛されるバルドルを復活させるために死者の女王ヘルと交渉します。ヘルは「すべての者がバルドルのために泣くなら復活を認める」という条件を提示し、万物がバルドルのために涙を流しましたが、ロキが巨人の女に変身して、泣くことを拒否したため、バルドルは復活できず、死者の国にとどまることになってしまったのです。

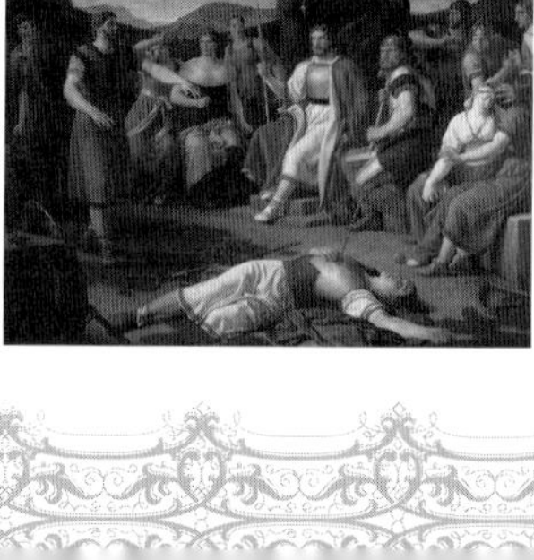

ヤドリギで胸を貫かれ倒れたバルドル。1817年、デンマーク人画家、クリストファー・ヴィルヘルム・エッケルスベルグ画。

バルドルの光を失った世界は、最終戦争ラグナロクに突き進んでいきます。ただしバルドルはラグナロクのあとに復活し、新しい時代の指導者となることが定められています。

ヘイムダル

別名：ハリンスキージ、グリンタンニ
種族：アース神族

魔法の角笛ギャラルホルンを手に持ち、神界の入り口ビフレストを油断なく見張る監視役。アース神族の神ヘイムダルは、神々の世界アースガルズの平穏を守る番人なのです。

虹の橋ビフレストの番人

142ページで説明したとおり、アース神族の住む世界であるアースガルズは、ビフレストという虹の橋で人間の住む世界ミズガルズとつながっています。このビフレストを見張り、外敵の侵入を察知してほかの神々に知らせるのは、最高神オーディンの息子であるヘイムダルの役目です。彼はほかの神々が館をかまえているイザヴェル平原の近くではなく、ビフレストのたもとに、ヒミンビョルグという館を建てて暮らしています。

ロキに奪われた首飾りブリーシンガメンをフレイヤに返すヘイムダル。ヘイムダルの知覚能力は遺失物の捜索にも発揮されます。１８４６年、スウェーデン人画家ニルス・ブロメール画。

アースガルズの見張り番という重要な役割を与えられているだけあって、ヘイムダルは異変を察知する知覚能力に非常に優れています。その目は昼でも夜でも100マイル（約160km）先の様子を見ることが可能で、耳は草の葉が伸びる音すら聞き逃さないほど鋭敏です。さらにはまるで魔術を使ったように未来のことを知ることもできるといいます。また、一切の睡眠を必要としないので、昼夜を問わず見張りを続けることができます。ヘイムダルがビフレストの橋に異変を察知すると、彼はギャラルホルンという魔法の角笛を吹いて異変を知らせることになっています。

ラグナロクの到来を告げる

北欧神話の最終戦争ラグナロクでは、ヘイムダルの角笛ギャラルホルンによって、巨人たちがビフレストを越えて侵略してきたことがアース神族の神々に知らされ、ラグナロクの戦いが幕を開けることになります。

ヘイムダルは単なる見張り役ではなく、優秀な戦士でもあります。彼の武器は剣であり、ラグナロクの際にはこれを手にとって、巨人とともに攻め寄せてくるロキと戦うことが宿命づけられています。ただしこの戦いは相討ちとなり、ヘイムダルはその後の神話にはあらわれません。

北欧神話
神と怪物の小事典

北欧神話には、ここまで紹介してきた神々のほかにも、多くの重要な神々が登場している。さらには神々ではない動物や怪物のなかにも、世界の重要な要素となっている者が多いのだ。
ここではそんな重要な神と怪物から、厳選した32組を紹介しよう。

アウズフムラ

原初の雌牛

この世にまだ生き物がいなかった時代、原初の巨人ユミル（➡ p177）とともに生み出された最初の生命体。その乳房からは牛乳が4本の川となって流れ出し、ユミルはこの乳を飲んで成長した。

また、アウズフムラはギンヌンガ・ガップにある氷の固まりをなめて溶かし、その中にいたブーリという神をこの世に解き放つという重要な役割を果たしている。

ヴァフズルーズニル

ヨトゥン

神話にてオーディンと知恵くらべをして敗北した、年配の巨人。『古エッダ』の神話詩『ヴァフズルーズニルの言葉』のみに登場し、おそらくこの物語のために詩人に創作された存在だと思われる。

オーディンはヴァフズルーズニルの知識が知りたいがために、偽名を使って彼の館を訪れ、矢のように浴びせかけられる質問にすべて答えてみせる。その知識に感心したヴァフズルーズニルは「おたがいの首をかけて知恵くらべをしよう」と言いだした。ヴァフズルーズニルはオーディンの質問によどみなく回答していくが、「太陽神バルドルが死んだときに、オーディンは遺体の耳元でなんと言ったか」という、きわめてプライベートな問題に当然答えられず、知恵くらべに敗れてしまった。問答の相手がオーディンだと知ったヴァフズルーズニルのその後は、神話には書かれていない。

ヴァーリ

アース神族

オーディンと女神リンドの息子。バルドルを殺害した直接の犯人である盲目の神ヘズ（➡ p176）を殺害するために生み出され、生後わずか1日で復讐を果たした。74ページ参照。

ヴィーザル

アース神族

オーディンと女巨人グリーズの息子。ラグナロクの戦いでは、父オーディンを喰い殺したフェンリルを討ち取る活躍を見せる。104ページ参照。

ヴィリとヴェー

アース神族？

北欧神話の神の先祖は、氷の中から原初の雌牛アウズンブラがなめることで解凍されてこの世に生まれてきたとされている。こうして生まれた原初の神ブーリは、たったひとりで息子ボルを産み、ボルは女巨人と結婚して3人の神を産んだ。こうして産まれたのがヴィリ、ヴェー、オーディンの３兄弟である。
　３人は協力して原初の巨人ユミルを殺し、その死体から世界と人間、妖精を作った。この創造神話以降、ヴィリとヴェーはなぜか神話に登場していない。

ウートガルザ・ロキ

ヨトゥン

　巨人の国ヨトゥンヘイム最大の都市「ウートガルズ」を支配する巨人の王。幻をあやつる術を得意としており、北欧神話最強の神トールを手玉にとった神話で知られる。
　トールが都市ウートガルズにやってきたとき、ウートガルザ・ロキはトールをもてなしつつ、さまざまな競技で勝負を持ちかける。酒飲み勝負、重量挙げ、レスリングなどの勝負にトールはことごとく敗れてしまうが、これはすべて巨人王のかけた幻覚だった。
　例えば酒飲み勝負でトールの酒がなかなか減らなかったのは、魔法で杯を海につなげていたからである。このためトールに全力で飲み干された海水が一時的に減り、「干潮」という現象が起きるようになったという。

ヴェルンド

スヴァルトアールヴ？

　北欧神話のみならず、ゲルマン人の伝承に数多く登場する名鍛冶師。多くの伝承では人間だが、北欧神話では『古エッダ』の『ヴェルンドの歌』で「妖精の王」と呼びかけられていることから、鍛冶を得意とする闇アールヴ、あるいはドヴェルグである可能性が指摘されている。
　ヴェルンドはフィンランド王家の三人兄弟の末っ子であり、水浴びをしている３人のヴァルキリーを捕らえて妻にした物語で有名。40ページ参照。

ヴォル

アース神族

　非常に賢く、秘密を詮索《せんさく》するのが好きな女神で、彼女の興味の対象となった秘密は決して隠し通すことができない。そのためヴォルという名前は「気づく」という意味の一般単語として使われている。

ウル

アース神族

　決闘の守護神。弓矢とスキーを得意とする戦いの神。雷神トールの妻シヴに結婚前からいた子供で、トールにとっては連れ子となる。ユーダリル（イチイの谷）という場所に居を構えている。イチイとは樹木の一種で、高品質なスキーや弓の材料になる木材である。
　名著普及会『北欧の神話伝説（II）』には、ウルが同じようにスキーを得意とする女巨人スカジ（➡ p92）と意気投合して一緒に暮らす物語が紹介されているが、これがどの資料に紹介された神話かは書かれていない。

エーギル

ヨトゥン

『古エッダ』の『ロキの口論』などに登場する海の神。網を持つ女神ラーンの夫である。種族は巨人族だが、ラグナロクに参加した記録はなく、アース神族の神々のために宴席を設けるなど、アース神族とは友好関係にある。94ページ参照。

シュン

アース神族

　アース神族の法廷の女神。彼女は裁判の被告側を守護し、訴えの内容が正しくないことを証明しようとする。そのため北欧では、訴えを否認することを「シュン」と呼ぶ。

スィアチ

ヨトゥン

　怪力と狡猾さで知られる巨人で、スカジ（➡ p92）の父親。ワシに変身する能力を身につけている。その屋敷はスリュムヘイムという名前で、ヨトゥンヘイムの山あいにある。
　スィアチは、アース神族の女神イズン（➡ p64）を誘拐してアース神族を滅亡の危機に陥れた張本人である。彼女は策略を使ってロキを脅迫し、ロキにイズンを誘拐させた。その後、事件の責任をとらされたロキが鷹に変身してイズンを奪還すると、スィアチは鷲に変身して逃げるロキを追いかけるが、罠を張っていたアース神族に翼を燃やされ、地面に落ちたところを殺害されてしまった。

スコルとハティ

狼の巨人

ロキの子供である最強の狼フェンリルが、ヨトゥンヘイムにあるイアルーンヴィズの森に住む女巨人に産ませた双子の狼。

スコルとハティは常に天空を駆け、スコルは太陽を、ハティは月を追いかけている。日食や月食という現象は、スコルやハティが太陽か月を捕らえたために起こる現象だと考えられていた。96ページ参照。

スノトラ

アース神族

アース神族の女神。賢く優しい性格で、そのため北欧では、性根の穏やかな人を「スノト(賢明な)」と呼ぶという。

スリュム

ヨトゥン

霜の巨人たちをたばねる王のひとりで、たいへんな資産家。『古エッダ』の『スリュムの歌』で、雷神トールのハンマー"ミョルニル"を盗み出した物語で有名である。

スリュムはミョルニルを返還する条件として、美女として評判の女神フレイヤを妻とすることを要求した。これを承服できないアース神族は一計を案じ、雷神トールを女装させてフレイヤだと言い張るという大胆な作戦に出る。同行したロキの口車に乗せられて、女装したトールがフレイヤだと誤解したスリュムは、その膝の上にミョルニルを置いてしまう。トールはただちに正体をあらわし、スリュムをミョルニルで撲殺してしまった。

スレイプニル

モンスター

アース神族の最高神オーディンの愛馬。8本の足があり、馬のなかで最高のものだと賞賛されている。すさまじい速さで走るだけでなく、空を駆けることもできるという。

チュール

アース神族

アース神族の戦争の神で、勇敢な性格で知られる。名前にはティール、テュールなどの表記もある。北欧の戦士たちは、剣のどこかにチュールをあらわすルーン文字(➡ p88)を彫っておき、戦闘のときにチュールの名前を2回となえれば勝利できると信じていた。

チュールの最大の特徴は、右腕の手首から先がないことである。これはアース神族の神々が、ロキの子供である最強の狼フェンリルを封印しようとしたときに、フェンリルに食いちぎられたものだ。

神々は「フェンリルの強さを試すため」と嘘をつき、絶対に切れない紐グレイプニルでフェンリルを縛ろうとした。神々の行いに違和感を感じたフェンリルは、「誰かが自分の口のなかに腕を突っ込めば、その試しに応じてやる」と言い、これにただひとり志願したのがチュールだったのだ。神々の狙いどおりグレイプニルはちぎれず、怒ったフェンリルは約束どおりチュールの腕を食いちぎってしまったという。

チュール

ニーズヘッグ

モンスター

世界の下層、ニヴルヘイムで暮らし、世界樹ユグドラシルの根をかじって枯らそうとしたり、死者の体を引き裂いている、黒い肌の邪悪な怪物。神話では「蛇」と呼ばれることが多いが、翼で空を飛ぶという描写があるため、ドラゴンに近い外見だと想像される。

ラグナロクの戦いには参加している描写がない。神話の最後には、滅亡後の世界で翼に死者を乗せて飛翔する様子が描かれている。

ニョルズ

ヴァン神族

ヴァン神族の豊穣神で、フレイとフレイヤの父親でもある。アース神族とヴァン神族が和解したときに人質としてアース神族に送り込まれた。この神は古代ゲルマンの女神であるネルトゥスと深いつながりがあることが指摘されている。82 ページ参照。

ヒュミル

ヨトゥン

海に住む巨人族で釣りの名人。雷神トールが大蛇ヨルムンガンドを釣り上げる神話の脇役として登場するが、『新エッダ』と『古エッダ』で活躍ぶりが異なる。

『古エッダ』の『ヒュミルの歌』では、トールとともに漁に出て、2 頭のクジラを一度に釣り上げるが、トールはヨルムンガンドを釣り上げると、その頭をミョルニルの槌で叩いて海中にたたき落としている。その後ヒュミルはトールに無理難題を押しつけるがすべて解決され、ヒュミルの宝「無限にビールがわき出る大釜」を奪われてしまった。

『新エッダ』では、ヒュミルがクジラを釣り上げる場面は描かれておらず、しかもトールがヨルムンガンドを釣り上げたときに恐怖にかられ、トールがヨルムンガンドをミョルニルで叩こうとしているときに、釣り糸をナイフで切ってヨルムンガンドを逃がしてしまう。このあとヒュミルは、怒ったトールに殴られ、海にたたき落とされてしまった。

ファーヴニル

モンスター

『古エッダ』の『ファーヴニルの歌』などに登場するドラゴンで、ファフニール、ファフナーなどとも呼ばれる。その正体はドヴェルグの王フレイズマルの息子である。

フレイズマル王は、カワウソに変身して遊んでいた息子のひとりが、野生動物と間違って神々に殺されたため、賠償金を要求した。神々は賠償金を別のドヴェルグから強奪することで支払うが、その賠償金のなかに含まれていた指輪には、持ち主に永遠の不幸をもたらす呪いがかけられていた。

指輪の魔力で欲にかられたファーヴニルは父を殺害し、財宝を独占。その身をドラゴンに変えて財宝を守るようになったのである。

結局ファーヴニルは、彼のもうひとりの兄弟であるレギンにそそのかされた人間の勇者シグルズの待ち伏せで命を落とし、財宝を失ってしまった。

フェンリル

モンスター

ロキと女巨人アングルボザ（➡ p100）の間に生まれた巨大な狼。口を開けば上あごは天にとどくとたとえられる巨体で、目や鼻からは炎を吹き出している。幼いころはただの狼だったが、手が付けられないほど巨大化し、さらに「フェンリルは神々に災いをもたらす」という予言がくだったため、神々はグレイプニルという魔法の紐を使ってフェンリルを封印することに決めた。くわしい経緯はチュール（➡p174）の項目を参照。

ラグナロクでは、フェンリルを拘束していたグレイプニルの戒めが解け、オーディンと一騎討ちのすえ丸呑みにして殺害するが、その息子ヴィーザル（➡ p172）に倒される運命が定められている。

フォルセティ

アース神族

裁判と仲裁の神。光明神バルドルとナンナの息子で、黄金の柱と銀の屋根でできた、グリトニルという館を持っている。
　この館は、もめ事を仲裁する機関として機能しており、ここで仲裁を受けた者はみな納得して帰るといわれている。フォルセティの裁きを受け入れた者は、その裁きに従う限り、平和に暮らすことができたという。

ブラギ

アース神族

　アース神族の詩の神。オーディン同様、長いあごひげを持つ神として知られる。妻は若さの女神イズン（➡ p64）。オーディンの息子だとされるが、母親が誰かは不明である。『新エッダ』の全三部のうち第二部にあたる『詩語法』は、ブラギが海神エーギルの詩の技法を教える会話形式で書かれている。

フルングニル

ヨトゥン

　雷神トールとの決闘で知られる巨人族の勇者。頭蓋骨は岩で、心臓は三角形の砥石でできているとされる。
　フルングニルとトールの決闘では、フルングニルは大きな盾と、投げつける武器としての砥《と》石《いし》を持っていた。トールの従者が「トールは地面に潜って下から攻撃する」と言っていたのを信じたフルングニルは、地面に盾を置き、その上に乗って戦う。
　両者がおたがいにミョルニルと砥石を投げつけあうと、ミョルニルは砥石を砕いて突き進み、フルングニルの頭蓋骨を砕いて殺害した。だが砥石の破片がトールの頭に刺さり、これ以降トールは頭の中の砥石のせいで、非常に短気な性格になってしまった。また、トールは倒れたフルングニルの巨大な足の下敷きになって動けなくなり、生後３日の息子マグニに足をどかしてもらったという。

フレースヴェルグ

ヨトゥン

　猛禽類のワシの姿をした巨人。『古エッダ』の『ヴァフズルーズニルの言葉』によれば、世界中に吹いているすべての風は、このフレースヴェルグの羽ばたきによって生み出されているのだという。フレースヴェルグのとまっている枝は「天の北の端」にあるとされている。
　また、『新エッダ』の『ギュルヴィたぶらかし』には、世界樹の枝に巨大なワシがとまっていて、その眉間にヴェズフェルニルという鷹がとまっているという描写がある。
　ヴェルズフェルニルという名前は「風を打ち消す者」という意味で、風を起こすフレースヴェルグと対になっているため、この巨大なワシはフレースヴェルグではないかとする説も根強い。

ヘイズルーン

動物

　ヴァルハラ宮殿の近くで暮らしている、特別な力を持ったメスのヤギ。このヤギの乳首からは、ミルクではなくミード（蜂蜜酒）が大量に流れ出しており、死せる勇者であるエインヘルヤルたちは毎晩のようにこのミードを飲んで宴会に興じている。
　ヘイズルーンの餌《えさ》は、世界でもっとも有名だという「レーラズの木」の若芽である。このレーラズの木とは、世界樹ユグドラシルのことだとする解釈が一般的である。

ヘズ

アース神族

　アース神族の神で、盲目だが非常に力が強い。ロキにだまされてバルドルを殺害してしまった神話で知られる。170 ページ参照。

ミーミル

ヨトゥン

　ヨトゥンヘイムにある「ミーミルの泉」を管理する巨人族の男性。名前は「考える人」という意味で、アース神族の最高神オーディンの叔父にあたる。
　彼が管理する泉には、その水を飲むとすばらしい知恵が手に入るという特別な力がある。あるときオーディンがこの泉の水を飲みたいとミーミルに願ったとき、ミーミルはその代償としてオーディンの片目を要求した。オーディンが片目なのはこのためである。
　これ以降ミーミルはオーディンの相談役となり、オーディンは何か困ったことがあるとミーミルに助言を求めるようになった。ラグナロクの戦いのはじめにも、オーディンは神々を招集する一方で、アースガルズを離れ、ミーミルに助言を聞きにいっている。
　なお、北欧の歴史書『ヘイムスクリングラ』の序章『ユングリング家のサガ』では、アース神族とヴァン神族が和平を結んだとき（➡p161）、ミーミルはアース神族からの人質としてヴァン神族の世界に行ったことになっている。ただし同行した神ヘーニルが愚かであることに怒ったヴァン神族は、ミーミルの首を切り落としてアース神族に送り返した。オーディンはこの首に魔法の薬を塗って復活させ、自分の相談役にしたという。

ミーミル

ユミル

原初の巨人

　この世にまだニヴルヘイムとムスペルスヘイムしか存在せず、神々すらも生まれていなかった時代にはじめて生まれた生命体。一般的に「原初の巨人」と呼ばれる。
　ユミルは、ふたつの世界がぶつかりあう裂け目「ギンヌンガ・ガップ」で生まれた。同時に生まれた原初の雌牛アウズフムラ（➡p172）の乳を飲んで育つと、体の各所から何人もの巨人が生み出された。
　ユミルとは別の経緯でこの世に生を受けた神の一族、オーディンとヴィリ、ヴェーの３兄弟は、ユミルをはじめとする多くの巨人たちを殺害し、その肉体から世界と生物、そしてアールヴなどの妖精たちを生み出した。

ヨルムンガンド

モンスター

　別名ミズガルズオルム（ミズガルズの蛇）。その名のとおりヨルムンガンドは、ミズガルズの世界全体を取り巻くほど長大な体を持つ巨大な毒蛇である。
　ロキが女巨人アングルボザ（➡p100）に産ませた３体の子供のひとり。将来神々の脅威になることが予言されたため、親元から離されて海に捨てられた。しかしミズガルズの海で成長したヨルムンガンドは、冒頭で説明したような巨体に育ったのだ。
　ヨルムンガンドの宿敵は雷神トールである。『古エッダ』の『ヒュミルの歌』には、トールが牛の頭を餌にしてヨルムンガンドを釣り上げる場面が描かれている。
　また、北欧神話の最終戦争ラグナロクでは、ヨルムンガンドが海から出ようとする余波で津波が起こり、さらにこのヨルムンガンド自身も海と空に毒を振りまいて世界を犯すのである。雷神トールはヨルムンガンドを迎え撃ち、必殺のミョルニルを３回投げつけてこれを倒すが、トールも大蛇の毒に犯されてすぐに命を落とすという。

ラタトスク

モンスター

　ユグドラシルの木に住み着いているリス。たいへん意地の悪い性格の持ち主。
　ユグドラシルには、頂上付近にフレースヴェルグ（➡p176）というワシの姿をした巨人が、根っこ付近にニーズヘッグ（➡p175）という黒いドラゴンが住んでいるが、この２体はたがいに直接顔をあわせるわけでもないのに非常に仲が悪い。なぜならこのラタトスクが、ニーズヘッグとフレースヴェルグの会話を中継するメッセンジャーの役割を果たし、おたがいの悪口を仲介しているからだ。
　しかもラタトスクは、メッセージを意図的にねじまげて、両者の仲が悪化するように仕向けているのである。

ヴァルキリー人名録

北欧神話の原典には、私やブリュンヒルデみたいな有名なワルキューレだけじゃなくて、一瞬名前が出てくるだけのヴァルキリーがたくさん紹介されてるわ。どんな名前のヴァルキリーがいるのか、名前の意味とあわせて教えてあげる！

『古エッダ』『新エッダ』に登場するヴァルキリー

名前	名前の意味	出典
ブリュンヒルデ	輝く戦い	『詩語法』
エイル	平和、慈悲	『名の譜踊《あんしょう》』
ゲイロヌル	槍を持って進む者	『グリームニルの言葉』
ゲイルスコグル	槍の戦	『巫女の予言』
ゴッル	騒動	『グリームニルの言葉』
ゲンドゥル	魔力を持つ者	『巫女の予言』
グン（グズ）	戦争	『巫女の予言』『ギュルヴィたぶらかし』
ヘルフィヨトゥル	軍勢の縛め	『グリームニルの言葉』
ヘルヴォル・アルヴィト	「軍勢の守り手」+「全知」	『ヴェルンドの歌』
ヒルド	戦闘	『巫女の予言』『グリームニルの言葉』『名の譜誦』
フラズグズ・スヴァンフヴィート	「王冠の女戦士+白鳥+白」	『ヴェルンドの歌』
フレック	武器をがちゃつかせる者	『グリームニルの言葉』『名の譜誦』
フリスト	とどろかす者	『グリームニルの言葉』『名の譜誦』
フルンド	トゲ	『名の譜誦』
カーラ	荒れ狂う者	『フンディング殺しのヘルギの歌 II』
ミスト	霧	『グリームニルの言葉』『名の譜誦』
エルルーン	ビールのルーンに通じる者	『ヴェルンドの歌』
ラーズグリーズ	計画を壊す者	『グリームニルの言葉』
ランドグリーズ	盾を壊す者	『グリームニルの言葉』
レギンレイヴ	神々の残された者	『グリームニルの言葉』
ロタ	「雹と嵐」？	『ギュルヴィたぶらかし』
シグルドリーヴァ	勝利をうながす者	『シグルドリーヴァの言葉』
シグルーン	勝利のルーン	『フンディング殺しのヘルギの歌 I・II』
スケッギョルド	斧の時代	『グリームニルの言葉』

スケグル	戦争	『巫女の予言』『グリームニルの言葉』『名の譜誦』
スクルド	税、負債、義務、未来	『巫女の予言』『ギュルヴィたぶらかし』『名の譜誦』
スヴァーヴァ	眠らせる者	『ヒョルヴァルズルの息子ヘルギの歌』
スルーズ	強き者	『グリームニルの言葉』

その他の神話詩に登場するヴァルキリー

名前	名前の意味	出典
ゲイラヴォル	槍	『名の譜誦（増補版）』
ゲイルドリヴル	槍を投げる者	『名の譜誦（増補版）』
ヘリヤ	壊滅させる？	『名の譜誦（増補版）』
ヒヤルムスリムル	兜の音を立てる者	『名の譜誦（増補版）』
ヒヨルスリムル	剣の女戦士	『名の譜誦（増補版）』『槍の歌』
サングリーズル	とても乱暴な	『槍の歌』
スカルモルド	剣の時	『名の譜誦（増補版）』
スヴェイズ	振動？　騒音？	『名の譜誦（増補版）』
スヴィプル	気まぐれな	『名の譜誦（増補版）』
タングニズル	沈黙	『名の譜誦（増補版）』
ソグン	戦闘	『名の譜誦（増補版）』
スリマ	強き者	『名の譜誦（増補版）』

ヴァルキリーの名前の秘密

しつもんでーす！『古エッダ』とか『新エッダ』に出てくるヴァルキリーの先輩方って、なんだか似たような意味の名前が多くないですかー？
なにか理由があるんですかー？

理由？ もちろんあるとも。
ヴァルキリーの名前は、かつて神話を作った詩人たちが、ヴァルキリーに求めていた役割やイメージを言葉にしたものだからな。

ヴァルキリーの名前は、「戦争」「槍」「軍勢」などの単語で構成されている場合がほとんどです。これはヴァルキリーたちが「戦場にあらわれる」「オーディン（槍を武器に持つ）の部下である」という要素を強く反映したものです。

なお最新の研究では、現在「ヴァルキリーの個人名」とされている呼び名は、個々のヴァルキリーに与えられた個人名ではないという説があります。これらの呼び名は、ヴァルキリーの役割を説明するためにつけられた、その場だけで通用する名前にすぎないというのです。

『古エッダ』『新エッダ』「その他神話詩」に登場するヴァルキリーの名前に含まれる言葉ランキング

順位	言葉	回数
1位	戦、戦争	7回
2位	槍	4回
3位	軍勢	2回
3位	剣	2回
3位	破壊	2回
3位	勝利	2回

イラストレーター紹介

この「萌える！ヴァルキリー事典」のために、
なんと44名ものイラストレーターの皆様が集結し、
すばらしいイラストを描いてくださった。
すべてのヴァルキリーを代表して、
このブリュンヒルデからお礼を申し上げる。

蔓木《つるぎ》鋼音《はがね》

●ブリュンヒルデ（p24）

いんちきヴァルキリーを描き続けてウン年。珍しく正統派ヴァルキリーです。
今回は炎の牢獄に幽閉されたヴリュンヒルデを描かせていただきました。ヴァルキリーといえば某文庫からヴァルキリーワークスというラノベの挿絵もやらせてもらってますのでそちらもよろしければひとつお願いします。

古代製鉄所～たたらば～
http://tataraba.blog35.fc2.com/

ぴょん吉

●ヴァルハラ宮の ヴァルキリー（p36）

初めまして、ぴょん吉と申します。
死後の世界で接待されるっていいですよね。
接待…せったい…ああ…なんで勇士にうまれなかったんだろう。

Current Storage
http://currentstorage.ifdef.jp/

はんぺん

●エイル（p39）

エイルを担当させていただきましたはんぺんです。
自分も薬草学なら得意です。子供の頃、道端の草を適当に混ぜて毒を作ったものです。

PUUのほむぺ～じ
http://puus.sakura.ne.jp/

みよしの

●シグルーン（p47）

以前にイラストを担当させていただいた小説「極光のロマンティア」のご縁で、こちらでもシグルーン（氷夜香先輩）を描かせて頂きました。
先輩をこのような形で描けてとても嬉しかったです。

みのしば
http://miyoshiba.web.fc2.com

内《うち》有《う》一《かず》馬《ま》

●グナー（p61）

グナーを担当しました内有一馬です。
女戦士好きなので、今回のヴァルキリーも大好物で御座います。
しかしこのグナーさん、俗な言い方ですと女神フリックさんのパシリですね。戦闘は得意じゃないけど真面目でしっかりキャラなのかも・・・。

FlowerCrown

http://flowercrown.org/

B.tarou《びーたろう》

●イズン（p65）

今回､｢イズン｣を描かせていただきました。｢リンゴを食べてアンチエイジング｣的なコピーをイメージしてみましたが、いかがでしたでしょうか？　それにしても、黄金のリンゴ…食べてみたいですねぇ～

TAROU'S ROOM

http://shirayuki.saiin.net/~bbrs/tarou/top-f.html

にもし

●サーガ（p67）

普段あまり描かないタイプのキャラクターを担当させて頂き、とても楽しく描かせていただきました。
私も癒し系お姉さんと晩酌したいです！

chercher

http://stellarsky.odaikansama.com/

玉《たま》之《の》けだま

●ヨルズ（p73）
●グローア（p123）

今回はグロアとヨルズを担当させていただきました!北欧の風を感じて頂けると幸いです。

毛玉牛乳

http://cult.jp/keda/

ファルまろ

●リンド（p75）

今回リンドのイラストを担当させていただきました、ファルまろと申します。
資料等を読んでも容姿等の記述が殆ど無いため難航しましたが、構図が固まってからはとても楽しく描くことが出来ました！

PIXIV ページ

http://www.pixiv.net/member.php?id=1218472

三嶋《みしま》くろね

●フノス（p77）

はじめまして、三嶋くろねと申します。昔から神話に興味があったので、今回描かせて頂けて嬉しかったです！
フノスちゃんは北欧神話最少年ロリっ子！

しろぷろ

http://shirokamikyoudan.net/

spiral《スパイラル》

●グルヴェイグ（p87）

黄金、処刑シーン回避、魅了される女達- 色々な要素があり宗教画のように人間の醜さなどを抽象化しつつ出来る限り萌え?イラストにしてみました。

箋螺画廊

http://senragaro.com/

kirero《キレロ》

●シンモラ（p91）

おしりが描けて満足です（U＾ω＾）！

KirororO

http://kirero.xxxxxxxx.jp/

方天戟《ほうてんげき》

●ラーン（p95）

今回、ラーンを担当させていただきました方天戟です。
荒々しいイメージという事だったので、ボディラインや肉感等も荒々しい感じになるように頑張りました。

虚牢関

http://houtengeki.blog92.fc2.com/

皐月《さつき》メイ

●ソール（p97）

こんにちは皐月メイと申します。今回はソールを担当させていただきました。ソールさんはスコルというオオカミから逃げ回っています。まったく逃げ回る女の子を追いかけるとかけしからん狼ですな！　ね、ソールさん！　あ、ちょっと逃げないでくださいよソールさん!!　…こ、これは…追いかけるしかねぇな!!

PIXIV ページ

http://www.pixiv.net/member.php?id=381843

Garuku《ガルク》

●ノート（p99）

はじめまして、Garuku です。
またお呼び頂けてとても嬉しいです。今回はヴァルキリーということで、鎧を描く気まんまんでしたが残念ながら担当した人物は装備しなさそうなので断念。
かわりにエルフ耳にしておきました。いつも通りですね。

Re:cord

http://garuku.web.fc2.com/

毛玉伍長《けだまごちょう》

●グリーズ（p105）

はじめまして、グリーズを描かせて頂きました毛玉伍長と申します。
今更ながら、お色気成分すっかり忘れてた事に気がつきました!
楽しみながら描かせて頂きました。ありがとうございます。

けづくろい喫茶

http://kedama.sakura.ne.jp/

中乃空

●ゲルズ（p109）

ゲルズを担当しました中乃空です。
設定に“絶世の美女”とあったので緊張しましたがなにかしら気に入って頂ける部分があれば嬉しいです。
自分的には緑髪を心ゆくまで塗れたので満足です。

In The Sky

http://altena.sakura.ne.jp/

アカバネ

●ヘル（p118）

アカバネと申します。普段はライトノベルの挿絵やゲームの原画などでお仕事させていただいています。今回は月明かりに照らされた冥界の女神ヘルを描いてみました。ヘルヘイムはとても寒い所だそうなので、腰掛けているのは氷の玉座です。

zebrasmise

http://akabanetaitographics.blog117.fc2.com/blog-entry-28.html

リリスラウダ

●シギュン（p121）

妻という人でいつもより肉付きのいい感じに仕上げてみました。
蛇をあまり描いたことなく大変苦労しましたがいかがでしょうか？

リリスラウダ研究所

http://llauda.sakura.ne.jp/

美和美和《みわよしかず》

●表紙

LOVEWN Outpost

http://lovewn.blog101.fc2.com/

C-SHOW《ししょう》

●案内キャラクター
●巻頭、巻末コミック

おたべや

http://www.otabeya.com/

しかげなぎ

●扉ページイラスト
●カットイラスト

SUGAR CUBE DOLL

http://www2u.biglobe.ne.jp/~nagi-s/

穂里《ほさと》みきね

●フレイヤ（p27）

C-EW/HM

http://etherweiss.client.jp/

あみみ

●スクルド（p31）
●カットイラスト

えむでん

http://mden.sakura.ne.jp/mden/

萩原凛《はぎわらりん》

●エルルーン
（p41）

vita

http://xxvivixx.noor.jp/

望月朔《もちづきさく》

●フリョーズ（p44）

ATELIER・LUNA

http://saku-m.cocolog-nifty.com/

9時《くじ》

●『ニーベルンゲンの指環』のヴァルキリー(p51)

9o'clock

http://9c25s.blog120.fc2.com/

ぱるたる

●ゲフィオン（p55）

R-pll

http://rpll.ninja-web.net/

河内やまと

●フリッグ（p58）

河内大和

http://www12.plala.or.jp/yamato/

WZK《ワズカ》

●フリーン&フッラ（p63）

-

-

田《た》阪《さか》新《しん》之《の》助《すけ》

●シヴ（p69）

田阪奉行所

http://mofun.jp/tasaka/

この本を書いてるのは
「TEAS 事務所」って人間たちなのね。
本の執筆とか編集がお仕事なんだって。
この「萌える！ヴァルキリー事典」で、
萌える！シリーズの本は 8 冊目になるらしいわよ。
このあとはどんな本を書くのかしら！

ふむ、
公式ホームページや twitter も
公開しているらしい。
http://www.otabeya.com/
https://twitter.com/studioTEAS
こちらで情報を集めてみるのもよさそうだ。

しばの番茶《ばんちゃ》

●ナンナ（p71）

紫葉漬け

http://bantya.sblo.jp/

久彦《ひさひこ》

●シェヴン&ロヴン&ヴァール（p79）

ヴァルシオーネα

http://www5c.biglobe.ne.jp/valalpa/

てるみぃ

●ネルトゥス（p83）

生きてるだけ症候群

http://homepage2.nifty.com/kabotya-no-tane/

遅刻魔《ちこくま》

●スカジ（p93）

PIXIV ページ

http://www.pixiv.net/member.php?id=171007

けいじえい

●アングルボザ（p101）

PIXIV ページ

http://www.pixiv.net/member.php?id=5021528

ももしき

●モーズグズ（p103）

madness

http://dirtygirlie.web.fc2.com/

鞠乃《まりの》

●グンレズ（p107）

まりもハウス

http://alinnaei.pupu.jp/

朱《しゅ》*

●フェニヤ&メニヤ（p111）

ダブルアスタ

http://kingsushi.wordpress.com

了《さと》藤《ふじ》誠《まさ》仁《と》

●ディース（p115）

mstl-60997

http://masapokotarou.blog.fc2.com/

々仝《ノマヘエ》

●モルニル（p125）

々の間

http://nomahee.blog.fc2.com/

崎《さき》田《た》キユ

●フュルギャ
（p127）

-

-

湖《こ》湘《しょう》七《しち》巳《み》

●カットイラスト

極楽浄土彼岸へ逕こそ

http://homepage3.nifty.com/shichimi/

ななてる

●カットイラスト

蓮根庵

http://renkonan.sakura.ne.jp/

萌える！ヴァルキリー事典 staff

著者	TEAS事務所
監修	寺田とものり
テキスト	岩田和義（TEAS事務所）
	林マッカーサーズ（TEAS事務所）
	内田保孝（スタジオMMK）
	鷹海和秀
	中本匡洋
	密田憲孝（VERSUS）
本文デザイン	神田美智子
カバーデザイン	筑城理江子

この本の制作を
担当したのは、
こちらのみなさんでーす！
次の
「萌える！シリーズ」も
お楽しみに～！
って気がするよ～！

オーディン様に直訴しよう！

「ヴァルキリーの労働環境についての報告と、待遇改善の要望書」か。実によくまとまった資料じゃのう。まるでベテランのヴァルキリーがつきっきりで指導したかのように完璧に整っておる。

(ギクッ) で、でしょ？ ねえお爺様ぁ、スクルドたちこんなにがんばってるから、お給料とかお休みとかもっとほしいんだけど……。

ふむ。ではワシも、頑張ったスクルドたちに見てもらいたい物があるのう。今月、ヴァルキリーたちがやった仕事上の失敗や不始末と、それをワシがどうフォローしたかをまとめさせた資料なんじゃが。(ドサドサッ)

えっ、なにこの量……!?

おおっ、3人とも帰ってきたな。帰りが早いということはうまくいったようだな。まあ、私がつきっきりで整理した完璧な資料を使えば、いかに我が父とはいえ首を縦に振らざるを……。

えーと、それが……。

賃上げ交渉失敗しちゃいました〜♪

むう 使えないヤツらめ……!!

ローンで買った

萌える！ヴァルキリー事典 おしまい！

参考資料

『Norse Mythology: A Guide to Gods, Heroes, Rituals, and Beliefs』John Lindow（Oxford University Press）
『アイスランド・サガ』谷口幸男　訳（新潮社）
『アイスランドのサガ　中篇集』菅原邦洋、早野勝巳、清水育男　訳（東海大学出版会）
『アスガルドの秘密 北欧神話冒険紀行』ヴァルター・ハンゼン　著／小林俊明、金井英一　訳（東海大学出版会）
『ヴァイキング』ヨハネス・ブレンステッズ　著／荒川明久、牧野正憲　訳（人文書院）
『ヴィジュアル版　世界の神話百科　ギリシア・ローマ／ケルト／北欧』アーサー・コットレル　著／松村一男、蔵持不三也、米原まり子　訳（原書房）
『エッダとサガ　北欧古典への案内』谷口幸男　著（新潮選書）
『エッダ　古代北欧歌謡集』谷口幸男　訳（新潮社）
『オージンのいる風景　オージン教とエッダ』ヘルマン・パウルソン　著／大塚光子、西田郁子、水野知昭、菅原邦城　訳（東海大学出版会）
『オペラ対訳ライブラリー　ワーグナー・ニーベルングの指輪　上下』リヒャルト・ワーグナー　作／高辻知義　訳（音楽之友社）
『神々のとどろき　北欧神話』ドロシー・ハスフォード　著／山室静　訳（岩波書店）
『ギリシア・ローマ神話　付　インド・北欧神話』ブルフィンチ　著／野上弥生子（岩波文庫）
『ゲルマーニア』コルネリア・タキトゥス　著／泉井久之助　訳（岩波文庫）
『ゲルマニア・アグリゴラ』国原吉之助　訳（ちくま学芸文庫）
『ゲルマン英雄伝説』ドナルド・A・マッケンジー　著／東浦義雄　編訳（東京書籍）
『ゲルマン人の神々』ジョルジュ・デュメジル　著／吉田敦彦　解説／松村一男　訳（日本ブリタニカ）
『古期ドイツ語作品集成』高橋輝和 編訳（渓流社）
『古代北欧の神話と宗教』フォルケ・ストレム　著／菅原邦城　訳（人文書院）
『サガのこころ　中世北欧の世界へ』ステブリン・カミンスキィ　著／菅原邦城　訳（平凡社）
『ジークフリート伝説　ワーグナー『指環』の源流』石川栄作　著（講談社学術文庫）
『スカルド詩人のサガ　コルマクのサガ／ハルフレズのサガ』森信嘉　訳（東海大学出版会）
『世界神話大図鑑　神話・伝説・ファンタジー』アリス・ミルズ　監修／荒木正純　監訳（東洋書林）
『世界の神話がわかる』（日本文芸社）
『世界の神話伝説　総解説』（自由国民社）
『創造神話の事典』D・リーミング、M・ミーリング　著／松浦俊輔 他 訳（青土社）
『デンマーク人の事績』サクソ・グラマティクス　著／谷口幸男　訳（東海大学出版会）
『ニーベルゲンの歌　前後編』相良守峯　訳（岩波文庫）
『「ニーベルンゲンの歌」の英雄たち』W・ハンゼン　著／金井英一、小林俊明　訳（河出書房新社）
『ニーベルンゲンの指環 1～4』リヒャルト・ワーグナー　作／アーサー・ラッカム　絵／寺山修司、高橋康也、高橋迪　訳（新書館）
『バイキングと北欧神話』武田龍夫　著（明石書店）
『フィンランド叙事詩　カレワラ上下』リョンロット　編／小泉保　訳（岩波文庫）
『ヘイムスクリングラ-北欧王朝史-(一)』スノッリ・ストゥルルソン　著／谷口幸男　訳（北欧文化通信社）
『北欧神話』菅原邦城　著（東京書籍）
『北欧神話』P.　コラム　著／尾崎義　訳（岩波少年文庫）
『北欧神話』H・R・エリス・デイヴィッドソン　著／米原まり子、一井知子　訳（青土社）
『北欧神話と伝説』グレンベック　著／山室静　訳（新潮社）
『北欧神話の世界　神々の死と復活』アクセル・オルリック　著／尾崎和彦　訳（青土社）
『北欧神話物語』K・クロスリィ・ホランド　著／山室静、米原まり子　訳（青土社）
『北欧の神々と妖精たち』山室静　著（岩崎美術社）
『北欧の神話』R・I・ペイジ　著／井上健　訳（丸善ブックス）
『北欧の神話　神々と巨人のたたかい』山室静　著（筑摩書房）
『北欧の神話伝説 I～II』（名著普及会）
『北欧のロマン　ゲルマン神話』ドナルド・A・マッケンジー　著／東浦義雄、竹村恵都子　編訳（大修館書店）
『ヨーロッパ異教史』プルーデンス・ジョーンズ、ナイジェル・ペニック　著／山本朝晶　訳（東京書籍）
『ラルース　世界の神々神話百科』フェルナン・コント　著／蔵持不三也　訳（原書房）

『広島大学文学部紀要 43 号　特輯号 3　スノリ「エッダ」「詩語法」訳注』谷口幸男　著

神名索引

項目名	分類	ページ数
『The Children of Odin』	資料·伝承·物語	76
アースガルズ	神話の地名	19,20,26,34,35,66,76,92,106,116,117,128,137,140~147,152,153,158,159,161,162,166,167,168,170,171,177
アース神族	用語	10,12~14,16,18,20,21,26,28,32,35,38,54,57,64,70,74,85~94,98,100,102,104,106,116,128,137,140,141,142,143,144,147,149,151,156,158,161,162,163,165~177
アールヴ（妖精族）	超常存在	32,116,139,145,150,151,163,168,173,177
アールヴヘイム	神話の地名	139,145,150,151,156,168
アウズフムラ	超常生物	161,172,177
アウルヴァンディル	神話の人物	122
アングルボザ	女巨人	100,116,149,166,175,177
アンナル	男神	98
イズン	女神	16,64,76,92,160,173,174,176
ヴァーリ	男神	74,120,172
ヴァール	女神	70,78
ヴァイキング	用語	48,85
ヴァナヘイム	神話の地名	139,144,145,159,162
ヴァフズルーズニル	巨人	57,96,172,176
ヴァルトラウテ	ヴァルキリー	50
ヴァルハラ	神話の地名	19,21,23,26,34,35,43,46,48,94,116,128,142,143,157,165,176
ヴァルハラ宮のヴァルキリー	ヴァルキリー	34,35
ヴァン神族	用語	12,16,26,60,64,80,84,85,86,88,94,106,108,114,124,139,141,144,145,161~164,168,175,177
ヴィーザル	男神	104,172,175
ヴィドフニル	超常生物	90
ヴィリ	男神	57,172,173,177
ウートガルザ・ロキ	巨人	149,173
ウートガルズ	神話の地名	146,148,149,173
ウールヴヘジン	用語	80
ヴェー	男神	57,172,173,177
ヴェズフェルニル	超常生物	176
ウェチルト	女巨人	94
ヴェルザンディ	女神	30,32
ヴェルンド	超常存在?	40,173,178
ヴォーダン	男神	23,50,52
ヴォル	女神	173
『ヴォルスンガ・サガ』	資料·伝承·物語	23,42,43
ヴォルスング	神話の人物	42,43,48
ウル	男神	68,173
ウルズ	女神	30,32,142,158
エイル	ヴァルキリー	38,178
エインヘルヤル	用語	20,21,34,35,43,128,158,163,176
エーギル	男神	29,80,35,94,173,176
エールダ	女神	50
《エッダ―古代北欧歌謡集―》	資料·伝承·物語	126
エルルーン	ヴァルキリー	40,49,178
『王の写本』	資料·伝承·物語	33,134,135
狼の巨人	用語	148,174
オーズ	男神	76
オーディン	男神	6,12,13,16~38,42,43,48,50,54,56,57,60,62,66~80,85~90,98,100~108,116,117,120,126,128,141,142,143,147,151,156,160~167,170~177,179
『オーディンの箴言』	資料·伝承·物語	88,106
『オーラヴ·トリュグヴァッソンの最大のサガ』	資料·伝承·物語	114
オッド	男神	28
オルトリンデ	ヴァルキリー	50,52
カーラ	ヴァルキリー	シグルーン参照
『カーラの歌』	資料·伝承·物語	48
ガルズローヴァ	馬	60
ガルム	超常存在	157
カレワラ	資料·伝承·物語	112
ギムレー	神話の地名	35,157
ギャラルホルン	物品	171
『ギュルヴィたぶらかし』	資料·伝承·物語	26,30,33,38,54,60,62,76,78,102,108,128,135,145,151,153,169,176,178,179
ギンヌンガ・ガップ	用語	152,153,154,155,159,172,177
グズ（グン）	ヴァルキリー	30,178
グナー	女神	60,62
グラズヘイム	神話の地名	35,142
グリーズ	女巨人	104,172
『グリームニルの歌』	資料·伝承·物語	26,34,56,62
グリダウォル	物品	104
グリムゲルデ	ヴァルキリー	50
グルヴェイグ	女神	85,86,88,161
グレイプニル	物品	151,174,175
グローア	巫女	122
『グローアの呪文』	資料·伝承·物語	122
クロスリイ・ホランド	その他人物	90,116
グロッティ	物品	110,112
『グロッティの歌』	資料·伝承·物語	110
グングニル	物品	13,48,68,88,165
グンナル	神話の人物	22,23
グンレズ	女巨人	106,128
ゲイラヴォル	ヴァルキリー	179
ゲイルスコグル	ヴァルキリー	178
ゲイルドリヴル	ヴァルキリー	179
ゲイルロズ（人間）	神話の人物	56,62
ゲイルロズ（巨人）	巨人	104
ゲイレルル	ヴァルキリー	34
ゲイロヌル	ヴァルキリー	178
ゲヴァール	神話の人物	70
ゲールヒルデ	ヴァルキリー	50
ケニング	用語	38,72
ゲフィオン	女神	35,54
ゲル	ヴァルキリー	34
ゲルズ	女巨人	108,168
ゲルセミ	女神	76
『ゲルマニア』	資料·伝承·物語	82,84
ゲンドゥル	ヴァルキリー	29,178
ゴッル	ヴァルキリー	178
サーガ	女神	16,38,66
サングリーズル	ヴァルキリー	179
サンポ	物品	112
ジークフリート	神話の人物	23
ジークルーネ	ヴァルキリー	50
シヴ	女神	68,72,173
シェヴン	女神	78
シギュン	女神	120
シグニュー	神話の人物	42
シグムンド	神話の人物	42,43
シグルーン	ヴァルキリー	43,46,48,126,178
シグルズ	神話の人物	22,23,42,43,175
シグルドリーヴァ	ヴァルキリー	ブリュンヒルデ参照
『シグルドリーヴァの歌』	資料·伝承·物語	22,43,88
『詩語法』	資料·伝承·物語	33,38,68,72,92,104,122,176,178
シュヴェルトライテ	ヴァルキリー	50
シュン	女神	173
勝利の剣	物品	168
シンモラ	女巨人	90,169
スィアチ	巨人	64,92,173,174
スヴァーヴァ	ヴァルキリー	シグルーン参照
スヴァルジルファリ	馬	60
スヴァルトアールヴヘイム	神話の地名	150,151,156
スヴィプダーグ	神話の人物	38,90
スヴィプタグ	男神	28
スヴィプドラーグ	神話の人物	122
スヴィプル	ヴァルキリー	179
スヴェイズ	ヴァルキリー	179
スヴェル	物品	96
スカジ	女巨人	84,92,171,173
スカルモルド	ヴァルキリー	179
スキールニル	神?	35,108
スキョルド	神話の人物	54
スクルド	女神/ヴァルキリー	29,30,32,38,179
スケグル	ヴァルキリー	34,179
スケッギョルド	ヴァルキリー	34,178
スコル	巨人	96,174
スットゥング	巨人	106
スノトラ	女神	174
スノリ・ステュルルソン	その他人物	33,38,56,57,86,134,135,151,153,159,169
スリマ	ヴァルキリー	179
スリュム	巨人	78,174
『スリュムの歌』	資料·伝承·物語	78,174
スルーズ	ヴァルキリー	34,179
スルト	巨人	20,21,90,117,153,164,168,169
スレイプニル	馬	60,102,174
セイズ	用語	26,88
ソール	女巨人	96,98
ソグン	ヴァルキリー	179

萌える！ヴァルキリー事典

2013年5月31日 初版発行

著者　TEAS事務所
発行人　松下大介
発行所　株式会社 ホビージャパン
〒151-0053　東京都渋谷区代々木2-15-8
電話　03（5304）7602（編集）
03（5304）9112（営業）

印刷所　大日本印刷株式会社

ISBN978-4-7986-0608-8 C0076

『ソルリの話』	資料･伝承･物語	29
タキトゥス	その他人物	82
ダグ	巨人	48,72,98
谷口幸男	その他人物	72,100
タングニズル	ヴァルキリー	179
チュール	男神	100,174,175
ディース	女神	16,114,126
デリング	男神	98
『デンマーク人の事績』	資料･伝承･物語	70,74,133
ドヴェルグ（小人族）	超常存在	28,32,68,116,138,150,151,163,173,175
トール	男神	13,20,26,35,68,70,72,78,85,98,100,104,122,143,147,150,164,166,167,173~177
常若のリンゴ	物品	64,76,92
ドラウプニル	物品	13,166
ナグルファル（神）	男神	98
ナグルファル（船）	物品	100,117
『名の譜踊』	資料･伝承･物語	178,179
ナルヴィ	男神	120
ナンナ	女神	70,175
ニーズヘッグ	超常存在	13,155,158,163,175,177
『ニーベルンゲンの指環』	資料･伝承･物語	22,23,50,52,141
『ニーベルンゲンの指環』のワルキューレ	ヴァルキリー	50,52
ニヴルヘイム	神話の地名	116,139,148,149,152,154,155,156,157,169,175,177
ニザヴェリル	神話の地名	138,150,151,156,163
ニョルズ	男神	84,85,92,94,175
ネルトゥス	女神	82,84,175
ノート	女巨人	72,98
ノルニル（ノルン）	女神	16,30,32,64,114,143
『ハールバルズの歌』	資料･伝承･物語	72
ハティ	巨人	174
ハムスケルピル	馬	60
バルドル	男神	21,57,70,74,92,100,102,117,120,161,164,166,170,172,175,176
『バルドルの夢』	資料･伝承･物語	74,100
ビフレスト	用語	76,141,143,146,166,171
ヒャールムグンナル	馬	22
ヒヤルムスリムル	ヴァルキリー	179
ヒュミル	巨人	175
『ヒョルヴァルズの子ヘルギの歌』	資料･伝承･物語	46
ヒヨルスリムル	ヴァルキリー	179
ヒルド	ヴァルキリー	29,34,178
ファーヴニル	超常生物	175
『ファーヴニルの歌』	資料･伝承･物語	32,175
フィヨルギュン	女神	72
『フィヨルスヴィスの歌』	資料･伝承･物語	90
フェニヤ	女巨人	110
フェンリル	超常存在	13,20,100,104,116,120,151,160,166,172,174,175
フォルセティ	男神	175,176
フギン	超常生物	165
フッラ	女神	62,70
フノス	女神	76
フュルギャ	超常存在	126
ブラギ	男神	64,176
フラズグズ・スヴァンフヴィート	ヴァルキリー	40,178
ブリーシンガメン	物品	26,28,150,171
フリームニル	巨人	42
フリームファクシ	馬	98
フリーン	女神	62
フリズスキャールヴ	用語	56,57,108,142
フリスト	ヴァルキリー	34,178
フリッグ	女神	16,28,38,42,56,57,60,62,66,70,72,74,78,142,170
ブリュンヒルデ	ヴァルキリー	22,23,42,43,50,52,178
『ブリュンヒルドの冥府への旅』	資料･伝承･物語	23
フリョーズ	ヴァルキリー	42,43
フルングニル	巨人	122,167,176
フルンド	ヴァルキリー	178
フレイ	男神	20,26,28,84,90,108,124,144,145,163,164,168,169,175
フレイヤ	女神／ヴァルキリー	16,26,28,29,35,76,78,84,85,86,114,143,144,149,150,168,174,175
フレースヴェルグ	超常存在	163,176,177
フレック	ヴァルキリー	34,178
フロージ	神話の人物	110
フロージュン	女神	72
『フンディング殺しのヘルギの歌』	資料･伝承･物語	30,43,48,178
ヘイズルーン	超常存在	128,158,176
『ヘイムスクリングラ』	資料･伝承･物語	86,133,159,177
ヘイムダル	男神	20,28,76,94,141,146,164,166,171
ヘーニル	男神	177
ヘズ	男神	74,170,172,176
ヘリヤ	ヴァルキリー	179
ヘル	女神	70,100,116,117,155,156,157,166,170
ヘルヴォル・アルヴィト	ヴァルキリー	40,178
ヘルギ	神話の人物	43,46,48
山の巨人（ベルグリシ）	用語	148,162
ベルセルク（バーサーカー）	用語	80
ヘルフィヨトゥル	ヴァルキリー	34,178
ヘルヘイム	神話の地名	35,57,70,94,100,102,116,117,139,155,156,157,159,170
ヘルムヴィーゲ	ヴァルキリー	50,52
ホーヴヴァルプニル	馬	60
マーニ	巨人	96,98
マグニ	男神	68,176
ミード（蜜酒）	物品	128,176
ミーミル	巨人	88,149,165,176,177
『巫女の予言』	資料･伝承･物語	29,30,72,86,151,169,178
ミズガルズ	神話の地名	19,56,104,137,138,140,141,142,146,147,148,149,157,159,163,165,167,169,171,177
ミスト	ヴァルキリー	34,178
ミューシング	神話の人物	110
ミョルニル	物品	13,68,78,104,166,167,174,175,176,177
炎巨人（ムスッペル）	用語	20,21,90,117,138,152,153,154,162,168,169
ムスペルスヘイム	神話の地名	96,138,152,153,154,155,169,177
ムニン	超常生物	165
メギンギョルズ	物品	167
メニヤ	女巨人	110
『メルゼブルクの呪文』	資料･伝承･物語	62,114
メングロズ	女巨人	38
モーズグズ	女巨人	102,157
モーディ	男神	68
モルニル	女神	124
ヤールングレイプル	物品	167
ユグドラシル	超常存在	21,32,88,90,137,138~139,142,149,158,165,168,169,175,176,177
ユミル	巨人	147,149,151,154,161,172,173,177
『ユングリング家のサガ』	資料･伝承･物語	54,57,76,159,177
霜の巨人（ヨトゥン）	用語	104,148,149,155,162,167,174
ヨトゥンヘイム	神話の地名	54,98,104,116,139,146,147,148,149,155,163,167,173,174,176
ヨルズ	女神	72,98,167
ヨルムンガンド	超常存在	13,20,100,116,146,148,166,175,177
ラーズグリーズ	ヴァルキリー	34,178
ラーン	女巨人	35,94,173
ラグナロク	用語	13,18,19,20,21,23,68,90,96,100,104,117,135,143,147,153,160,161,164,165,166,168,169,170,171,172,173,175,177
ラタトスク	超常生物	163,177
ランドグリーズ	ヴァルキリー	34,178
リヒャルト・ワーグナー	その他人物	23,50
リンド	女神	72,74,172
ルーン（ルーン文字）	用語	13,30,88,165,174
レーヴァティン	物品	90,169
レーギャルン	物品	90
『レギンの歌』	資料･伝承･物語	43
レギンレイヴ	ヴァルキリー	34,178
レリル	神話の人物	42,43
ロヴン	女神	78
ロキ	男神	12,20,28,57,60,64,68,70,84,90,92,100,104,116,117,120,161,166,170,171,174,175,176,177
『ロキの口論』	資料･伝承･物語	28,57,64,84,173
ロスヴァイセ	ヴァルキリー	50
ロタ	ヴァルキリー	30,178